SOUS LA V

Autopilotes et régulateur

Peter Christian Förthmann

© 2020, Foerthmann, Peter
Edition : Books on Demand,
12/14 rond-Point des Champs-Elysées, 75008 Paris
Impression : BoD - Books on Demand, Norderstedt, Allemagne
ISBN : 9782322239436
Dépôt légal : novembre 2020

Table des matières

Avant-propos

Qui sait pourquoi, mais les plaisanciers n'aiment généralement pas barrer. L'idée de devoir passer des heures et des heures à la barre en dissuade plus d'un de se lancer dans de longues croisières. C'est certainement la principale raison pour laquelle, jusqu'à hier, il y avait aussi peu de voiliers mettant le cap sur des destinations lointaines. Cette donne a cependant changé depuis l'avènement des autopilotes pour yachts et le développement de régulateurs d'allure utilisant l'énergie du vent. Avec eux, finie cette corvée et vive les longues traversées sur l'océan, même avec un équipage réduit. Ayant fait un premier périple de plus de 70.000 miles avec un Aries et un deuxième de quelque 40.000 miles avec un Hydrovane, je ne crains pas d'être taxé d'exagération en affirmant que s'il est un système essentiel dont tout yacht de croisière a intérêt à être équipé, c'est bien un régulateur d'allure.

Nombreux sont cependant les plaisanciers qui, malheureusement, ne partagent pas cet avis. C'est vrai que nous avons grandi dans un environnement high-tech où tout se résume à une simple pression sur un bouton et que nous y sommes accros, y compris en mer. Déterminer le cap à l'aide d'un compas et enclencher un autopilote est une solution facile. Une solution dont la plupart des navigateurs actuels se réjouissent jusqu'au jour où les batteries de leur bateau leur font faux bond et mettent abruptement fin à cette belle histoire d'amour. Suite aux mésaventures du genre qui m'ont été rapportées par des navigateurs ayant participé à l'ARC ou autres courses transatlantiques analogues, je suis parvenu à convaincre Peter Förthmann de venir à Las Palmas avant le coup d'envoi de l'ARC pour parler des avantages et désavantages des différents systèmes de pilotage automatiques. Ses conférences et séminaires ont remporté un énorme succès, non seulement parce qu'il connaît cette matière mieux que quiconque, mais aussi parce que quand il parle d'autopilotes électroniques et de régulateurs d'allure, il le fait toujours en toute impartialité. Le fait qu'il n'ait jamais tenté d'imposer ses propres produits lui a valu de gagner l'intérêt et la confiance de son auditoire.

C'est pourquoi je suis lui sais gré non seulement de m'avoir consulté pour l'écriture de cet ouvrage tant attendu, mais aussi de l'avoir fait d'une façon aussi objective et équitable, en donnant à l'ensemble de ses concurrents une chance égale de faire connaître leurs produits. Dans cet ouvrage, il traite de tous les pilotes automatiques existants, permettant ainsi au lecteur de se faire sa propre idée. De nombreux marins s'accordent à dire qu'à l'heure actuelle le Windpilot de Peter est le meilleur. En tant que concepteur et constructeur de ce dispositif ingénieux, Peter a, en effet, démontré que son nom est digne de figurer aux côtés de ceux de ses prestigieux prédécesseurs tels que Blondie Hasler, Marcel Gianoli ou Nick Franklin. Avec ce livre, Peter Förthmann confirme son rôle d'autorité mondiale dans le domaine des régulateurs d'allure.

Jimmy Cornell

Préface

Qui aurait pu croire que le monde allait à ce point changer en l'espace d'une génération ?

Les yachts qui, hier encore, étaient considérés comme étant à la pointe de la technologie, sont soudain dépassés. L'offre en matière d'instruments et d'équipements de navigation a pris d'incroyables proportions. GPS, EPIRB, INMARSAT, lecteur de cartes, radar et accès Internet sont désormais monnaie courante à bord. Le marché du livre nautique a été, lui aussi, particulièrement fécond. Rares sont les sujets qui n'ont pas encore été abordés et n'ont pas livré leurs moindres secrets. Ceci étant, on a du mal à concevoir que, pendant toute une génération, personne n'a pensé à rédiger le présent ouvrage !

Un livre sur les systèmes de pilotage automatiques s'imposait depuis longtemps. C'est du moins le sentiment qu'a eu Jimmy Cornell, dont les encouragements ont fini par me convaincre de prendre la plume. Je n'ai pas pris cette décision à la légère car il s'agit d'un sujet particulièrement délicat pour quelqu'un comme moi qui fabrique des régulateurs d'allure. Mais c'est aussi un sujet idéal, car certains aspects de la voile sont aussi logiques qu'intuitifs. Tous ces systèmes reposent sur les mêmes principes physiques. Dans ce domaine, rien ne relève de la magie ni de théories obscures.

J'espère que cet ouvrage coupera court aux opinions conflictuelles et aux bruits contradictoires qui courent au sujet des systèmes de pilotage automatiques. S'il vous épargne la frustration d'une défaillance technique et l'épuisement d'interminables heures à la barre dans le froid, le vent et le noir d'encre des nuits de tempête, il aura atteint son but. S'il met en évidence des lacunes sur le plan de vos connaissances ou des failles au niveau de votre propre équipement, réjouissez-vous ! Mieux vaut entrevoir ses erreurs quand on est dans un port où l'on ne risque rien qu'au beau milieu de l'océan. Une fois en mer, vous devez vous débrouiller avec les cartes que vous vous êtes données : une maigre consolation lorsque, les bras ankylosés et les yeux fatigués, vous vous accrochez désespérément à la barre et à l'horizon, en décomptant les heures qui vous séparent encore du port...

J'aimerais remercier tout particulièrement Jimmy Cornell, que j'entends encore me dire « assieds-toi et mets-toi à écrire ! ». Jörg Peter Kusserow, mon ami et partenaire en affaires dont les illustrations sont d'un grand enrichissement pour cet ouvrage. Chris Sandison, qui a traduit cet ouvrage dans la langue de Shakespeare. Janet Murphy des éditions Adlard Coles Nautical, qui n'a jamais perdu le sourire face à cette montagne grandissante de feuillets.

Et enfin, je tiens à vous remercier, vous cher lecteur, dans la mesure où vous estimez que ce livre vous a apporté des informations utiles, susceptibles de faciliter votre tâche de navigateur – sans rester à terre.

Peter Christian Förthmann

Introduction

Tout au long de l'histoire, l'homme a pris la mer à bord de voiliers pour faire du commerce, partir à la découverte de nouveaux continents ou à des fins de conquête. Ce n'est pourtant qu'au XXe siècle qu'a jailli l'idée qu'il y aurait peut-être moyen de concevoir un voilier équipé d'un système de pilotage automatique. À l'âge d'or des grands voiliers et même durant les temps modernes, piloter un bateau signifiait ne pas lâcher un instant la barre à roue. À l'époque la main-d'œuvre était légion et bon marché et tous les travaux au niveau du pont et des gréements, ainsi que le mouillage et la remontée de l'ancre s'effectuaient manuellement. Lorsque la force brute ne suffisait pas, on avait recours à des poulies et des palans, ainsi qu'aux avantages mécaniques des barres d'anspect et cabestans pour manœuvrer l'ancre. Voyant qu'ils étaient en passe d'être évincés par la flotte de bateaux à vapeur en pleine expansion, les derniers grands voiliers se sont vus équipés de petits moteurs à vapeur susceptibles de venir en aide à l'équipage. Or, le pilotage proprement dit n'en demeurait pas moins une tâche purement manuelle et rude, même s'il y avait trois officiers de quart et lorsqu'on fixait la barre avec une aussière. Même les grands bâtiments à gréement carré sillonnaient les océans sans l'aide du moindre moteur électrique ni système hydraulique.

Au début du XXe siècle, la navigation de plaisance était un sport élitaire, réservé aux gens fortunés possédant un yacht et pouvant se payer un équipage au grand complet. Pour eux, il était inconcevable – même dans leurs rêves les plus fous – que la pièce maîtresse de leur joujou, c.-à-d. la barre, puisse un jour être automatisé.

Ce n'est qu'après le triomphe de la vapeur qui est allé de pair avec un essor rapide du commerce maritime et des croisières internationales que le barreur est devenu de moins en moins indispensable et a été finalement supplanté par le pilote automatique, dont l'invention remonte à 1950.

Les puissants autopilotes électrohydrauliques n'ont pas tardé à faire partie de l'équipement standard de tous les nouveaux bâtiments et, même si la barre à roue n'a pas été éliminée, l'autopilote a désormais sa place parmi les dispositifs automatiques, de plus en plus nombreux. Sur les navires commerciaux et les bateaux de pêche, la grande majorité des équipements sur et sous le pont – des dispositifs de charge aux cabestans en passant par les écoutilles des cargos et les winchs destinés à remonter plus rapidement les filets – ont été rapidement dotés de moteurs électriques ou hydrauliques. Avant que les grands bateaux ne soient équipés d'un système complexe de générateurs électriques et d'une kyrielle d'instruments très gourmands en énergie, et tant que le moteur principal n'était pas en panne, il y avait de l'énergie à revendre à bord.

Aujourd'hui, tous les navires commerciaux et bateaux de pêche du monde naviguent exclusivement sur pilote automatique – une donne qui devrait donner matière à réflexion aux plaisanciers. Même l'officier de quart le plus vigilant à bord d'un navire porte-conteneurs se déplaçant à une vitesse de 22 nœuds est incapable de faire virer son bâtiment instantanément de bord. Un cargo est plus vite là qu'on ne le pense, surtout à bord d'un yacht à voile où la hauteur des yeux est virtuellement nulle. Les collisions entre voiliers et cargos, telles qu'immortalisées par le dessinateur de bandes dessinées Mike Peyton, sont le cauchemar de tout navigateur. Les magazines de voile font régulièrement état de mésaventures de ce genre, les unes plus terrifiantes que les autres, au terme desquelles, dans la plupart des cas, le bateau rejoint les poissons au fond de la mer. Parfois l'équipage est sauvé et l'histoire se termine bien. Mais il y a aussi celle de ce navigateur solitaire dont le yacht a heurté un cotre de pêche pendant qu'il dormait. Une histoire tout aussi hallucinante qu'exceptionnelle qui a défrayé la chronique et s'est terminée devant les tribunaux.

À la lumière de ces histoires, on serait tenté de taxer la voile en solitaire de sport extrêmement dangereux – tout skipper étant tôt ou tard obligé de dormir. Or, on oublie trop souvent que la nuit, les navires commerciaux qui sillonnent les océans sont souvent laissés à la vigilance d'un seul homme... Et que si cet homme s'assoupit ou s'endort, le résultat est le même : le navire se transforme en un bateau fantôme constituant un énorme danger pour le navigateur qui a le malheur de croiser sa route juste à ce moment-là.

L'époque du barreur en chair et en os est pratiquement révolue. Le pilote automatique, non seulement infatigable, mais aussi plus fiable et performant, rend le barreur quasiment superflu. Même dans les fjords les plus étroits de la côte suédoise, les grands ferries de la compagnie Stena Line se faufilent sans encombre, à plein régime, entre les rochers et bancs de sable en se fiant entièrement à leur pilote automatique et aux signaux de leur système de navigation Decca. Dans de telles conditions, l'homme n'a plus qu'un rôle de supervision – un rôle qu'il ne peut, bien entendu, exercer que lorsqu'il a les yeux ouverts !

À la barre du *Sedov*, un quatre-mâts russe à gréement carré

Historique

Traverser l'océan à la voile en solitaire est au départ l'affaire quelques rares pionniers téméraires et musclés. Le premier à réussir cet exploit est Joshua Slocum, à bord de son légendaire *Spray*. On raconte que pour maintenir un cap relativement stable, Slocum utilisait un ingénieux système d'écoutes ou qu'il immobilisait sa barre à roue avec une corde. Pour maintenir le cap, il sacrifiait délibérément une partie de la puissance de navigation au profit d'une plus grande voilure. C'est vrai que le *Spray* était déjà naturellement enclin à bien tenir le cap en raison de sa quille qui était presque aussi longue que sa ligne de flottaison.

En 1919, Hambley Tregoning envoie une lettre au *Yachting Monthly* dans laquelle il explique comment monter une girouette sur la barre franche d'un voilier. Suite à la publication de cette lettre, les propriétaires de modèles réduits s'empressent d'équiper leurs bateaux miniatures d'un tel dispositif : les résultats sont surprenants, même avec la jonction mécanique la plus élémentaire. Ce système ne sera pourtant jamais appliqué, pour la bonne raison que les forces générées par une girouette sans plus ne suffisent pas à agir sur la barre franche d'un bateau de taille normale.

Le premier régulateur d'allure

Le premier régulateur d'allure sera installé, paradoxalement, sur un bateau à moteur. Pour sa spectaculaire traversée de 18 jours en solitaire de New York au Havre en 1936, le navigateur français Marin Marie monte en effet une girouette surdimensionnée reliée par des drosses au gouvernail de son yacht à moteur de 14 m/46 ft, l'*Arielle*. Ce régulateur d'allure est aujourd'hui exposé au Musée de la Marine à Port Louis.

En 1955, le navigateur anglais Ian Major effectue à bord de son *Buttercup* la traversée en solitaire Europe-Antilles, utilisant pour ce faire une petite girouette qui actionne un flettner monté sur le safran principal. Telle est la solution utilisée le plus couramment à l'époque. La même année, le navigateur britannique Michael Henderson équipe son fameux *Mick the Miller*, un bateau de 17 ft, d'un système de son invention qu'il baptise *Harriet, the third hand*. Son objectif : centrer le safran principal et utiliser une girouette qui agit sur un safran auxiliaire, plus petit. Ce système fonctionne à merveille et est capable de s'acquitter de plus de la moitié des tâches du skipper. En 1957, Bernard Moitessier dote à son tour son *Marie Thérèse II* d'un flettner. En 1965, il équipe son *Joshua* du même système, mais simplifié en ce sens que la girouette est montée directement sur la mèche du flettner.

La première édition de l'OSTAR (course à la voile en solitaire entre Plymouth (GB) et Newport (USA), dont le coup d'envoi est donné le 11 juin 1960) marque le début de l'ère des régulateurs d'allure. Sans eux, aucun des cinq participants (Frances Chichester, Blondie Hasler, David Lewis, Valentine Howells et Jean Lacombe) ne serait jamais arrivé à bon port.

Le premier régulateur d'allure de Frances Chichester, baptisé *Miranda*, consiste en une girouette surdimensionnée (aérien de près de 4 m²/43 ft²) et un contrepoids de 12 kg/26,5 lb, et est relié à la barre franche par un système de drosses et de poulies. Vu le comportement anarchique de cette girouette géante, Chichester se voit cependant contraint de revoir à la baisse les dimensions de son aérien et de son gouvernail.

Blondie Hasler est le premier à monter à bord de son *Jester* un safran pendulaire assisté à différentiel. David Lewis etValentine Howells utilisent tous deux un simple flettner actionné directement par une girouette. Jean Lacombe équipe son bateau d'un régulateur d'allure à flettner doté d'une transmission à rapport variable qu'il a développé avec Marcel Gianoli.

Safran pendulaire assisté Hasler sur un S & S 30

Le Britannique Hasler et le Français Gianoli joueront un rôle majeur dans le développement des régulateurs d'allure. Les principes qu'ils énoncent à l'époque font toujours autorité. Quant à leurs systèmes, nous en reparlerons plus loin dans cet ouvrage.

La deuxième édition de l'OSTAR a lieu en 1964. Une fois de plus, tous les participants ont recours à des régulateurs d'allure, six d'entre eux optant pour le safran pendulaire assisté de Hasler qui, entre-temps, s'est mis à les produire en petites séries. Lors des Round Britain Races de 1966 et 1970, la plupart des bateaux sont équipés d'un régulateur d'allure, les autopilotes électriques étant toujours proscrits.

L'OSTAR de 1972 connaît un tel succès que pour l'édition de 1976, les organisateurs seront obligés de limiter à 100 le nombre des participants. Les autopilotes électriques sont désormais autorisés, mais consomment trop que pour être alimentés par les moteurs ou générateurs présents à bord. De nombreux participants utilisent donc des régulateurs d'allure construits par des concepteurs professionnels : 12 Hasler, 10 Atoms, 6 Aries, 4 Gunning, 2 QME, 2 électriques, 2 systèmes à safran auxiliaire, 2 Quartermaster et 1 Hasler à flettner.

Le nombre croissant de grandes courses en solitaire ou avec un équipage réduit, inconcevables sans l'aide d'un régulateur d'allure, encourage le développement et la production d'un vaste assortiment de systèmes professionnels tant en Angleterre qu'en France, en Italie et en Allemagne. Au firmament de ce marché en pleine expansion brillent toujours les noms des inventeurs de la première heure, tels que Hasler, Aries, Atoms, Gunning, QME et Windpilot.

Parmi les facteurs qui ont contribué à l'essor rapide des régulateurs d'allure, il y a le miracle économique de l'après-guerre, le nombre croissant de voiliers produits en série et la production de masse de bateaux en matières synthétiques qui ont détrôné les bateaux en bois construits sur mesure. N'étant plus un sport réservé à quelques loups de mer solitaires ni l'apanage d'une élite, la voile gagne fortement en popularité.

Les premiers concepteurs et constructeurs professionnels de régulateurs d'allure font leur apparition en 1968 en Grande-Bretagne, en France et en Allemagne, suivies des Pays-Bas.

Régulateurs d'allure et leur année d'invention respective :

1962	Blondie Hasler	Hasler
1962	Marcel Gianoli	MNOP
1968	John Adam	Windpilot
1968	Pete Beard	QME
1968	Nick Franklin	Aries
1970	Henri Brun	Atoms
1970	Derek Daniels	Hydrovane
1972	Charron/Waché	Navik
1976	Boström/Knöös	Sailomat

Le premier pilote de cockpit

Les premiers autopilotes électriques pour bateaux non commerciaux nous viennent des États-Unis. Le premier Tillermaster, un autopilote de petite taille conçu pour des petits bateaux de pêche, date de 1970.

En 1974, l'ingénieur britannique Derek Fawcett, qui travaillait chez Lewmar, conçoit son propre autopilote qu'il commercialise sous la marque Autohelm. Grâce au succès de ses pilotes à vérin compacts, Autohelm devient le leader du marché mondial. Les pilotes Autohelm sont produits en grandes séries dans une usine qui ne tarde pas à occuper quelque 200 travailleurs.

⊹ 2 ⊹
Régulateurs d'allure ou autopilotes ?

Le présent ouvrage a pour objectif de vous expliquer le fonctionnement des différents systèmes de pilotage automatiques disponibles sur le marché et de vous en faire entrevoir les avantages et désavantages afin que vous puissiez choisir celui qui répond le mieux à vos besoins. Parmi ces systèmes, il faut faire une distinction entre les autopilotes et les régulateurs d'allure. Les autopilotes sont des instruments électromécaniques qui, pour maintenir le cap, se servent des informations d'un compas. Les régulateurs d'allure utilisent la puissance du vent et de l'eau et reçoivent leur impulsion de guidage de l'angle du vent apparent. Nous verrons plus loin comment ces deux systèmes fonctionnent exactement.

L'allure d'un voilier dépend entièrement de sa position et de l'orientation de ses voiles par rapport au vent. Si les voiles sont mal réglées, il n'avancera pas. À la lumière de ce simple rapport de cause à effet, on comprend rapidement pourquoi un régulateur d'allure est la solution idéale pour piloter un voilier. Puisque le régulateur d'allure se sert de l'angle du vent pour faire avancer le voilier, il suffit de programmer cet angle pour que le cap soit respecté. Barrer par rapport à l'angle du vent apparent est surtout intéressant quand on navigue au vent. Le moindre changement d'orientation du vent se traduit instantanément par une correction de cap. Cette extrême sensibilité, dont même les skippers les plus chevronnés ne peuvent se réclamer, est garante d'une allure optimale.

Koopmans de 65 ft, équipé d'un autopilote et d'un régulateur d'allure.

Pourquoi opter pour un autopilote ?

Premièrement parce qu'un autopilote est un instrument compact et discret. C'est vrai que lors de l'achat d'un système de pilotage automatique, l'argument le plus courant en défaveur des régulateurs d'allure est leur aspect incongru. Non seulement ils sont grands et volumineux

– autrement dit tout sauf décoratifs – mais en plus ils sont lourds et donc peu maniables et ont la fâcheuse habitude d'être dans le chemin lorsqu'on manœuvre au moteur dans un port.

Les autopilotes, en revanche, sont montés de façon quasiment invisible dans le cockpit ou entièrement dissimulés sous le pont. Une fois qu'ils sont installés et qu'on en maîtrise les différentes fonctions, ils sont en outre d'une utilisation très conviviale. Les pilotes de cockpit sont légers, peu onéreux et précis. Pour certains navigateurs, il s'agit-là d'un argument décisif. Les autopilotes ont été conçus pour avoir du succès.

Pendant des années, le monde de la voile a été partagé en deux camps. Dans les années soixante-dix, les régulateurs d'allure étaient de tous les yachts de haute mer, sur lesquels ils étaient d'ailleurs indispensables, mais rares étaient les bateaux de plaisance qui en étaient équipés (même si de nombreux propriétaires rêvaient qu'ils le soient).

Ces vingt-cinq dernières années, il y a eu une violente controverse entre les défenseurs des deux systèmes. Un des sujets de discorde était que d'aucuns s'entêtaient à affirmer que des bateaux de lourds tonnages peuvent être "facilement" pilotés avec quelques fractions d'ampère. Aujourd'hui, on est devenu plus réaliste. De toute façon, les lois de la physique sont incontournables : tout développement d'énergie (puissance de pilotage) demande un apport d'énergie (courant électrique). Souvenez-vous de la loi de la conservation de l'énergie dont votre professeur de physique vous aura certainement parlé à l'école.

🖢 3 🖢
Les autopilotes

Fonctionnement

Les autopilotes dépendent d'un compas. Ce compas émet une impulsion de guidage qui active un moteur électrique ou hydraulique. Celui-ci actionne à son tour un vérin ou un cylindre hydraulique qui agit sur le gouvernail. Le compas compare en permanence les paramètres programmés et effectifs et continue d'envoyer des impulsions tant que le bateau ne tient pas le cap requis. Il y a un rapport direct entre :

- ? la puissance de pilotage
- ? la vitesse à laquelle cette force est exercée
- ? et la consommation d'énergie

Les constantes physiques entre ces facteurs étant toujours les mêmes, l'unique rapport qui compte à bord d'un yacht à voile (la puissance de pilotage/consommation) fait toujours l'objet d'un compromis. Obtenir une puissance de pilotage maximale avec un apport en énergie minimal relève de l'utopie.

Le hic, c'est qu'un moteur électrique développe une grande puissance lorsqu'il tourne lentement, mais une puissance nettement inférieure lorsqu'il tourne rapidement (cf. le moteur d'une voiture qui a d'excellentes reprises en première vitesse, mais plus la moindre en quatrième).

Les autopilotes se distinguent par la puissance de leur moteur. C'est cette puissance qui détermine le rapport entre la force exercée par le vérin et la vitesse à laquelle cette force est exercée. Forts de cette science, rares sont les fabricants d'autopilotes qui optent pour des moteurs à vitesse variable. Une forte baisse de régime qui doit permettre au moteur électrique d'exercer une plus forte pression sur le vérin, n'est de toute façon pas recommandée puisqu'elle s'inscrirait au détriment de la vitesse de correction de l'orientation du gouvernail.

Pour acheter un autopilote à bon escient, il vous faut avant tout connaître le couple maximal du gouvernail de votre bateau. Ce couple dépend de sa taille (longueur et largeur), de sa compensation (distance entre le centre de la mèche et le bord d'attaque du gouvernail) et de la vitesse potentielle du bateau. Ce couple peut être soit calculé, soit déterminé de façon empirique au vu de la force exercée sur la barre franche ou la barre à roue. Si la contrainte maximale exercée sur le gouvernail est supérieure au couple maximal du système de pilotage, il y aura forcément des problèmes. Si vous avez un bateau relativement lourd et que vous optez pour un modèle qui consomme peu d'énergie, le résultat sera tout sauf satisfaisant. Si le bateau est en limite des capacités de l'autopilote, préférez-lui un modèle supérieur : vous en profiterez plus longtemps. Or, si vous optez pour un autopilote plus puissant, vous ne trouverez aucune batterie capable de répondre à sa demande en énergie, à moins de pouvoir la recharger régulièrement. Comme quoi toute solution a son prix !

Les pilotes de cockpit pour barre franche

Les pilotes de cockpit les moins complexes sont ceux à vérin, dont le moteur électrique agit directement sur le vérin, via un système de transmission. Le vérin s'allonge ou se rétracte pour agir sur la barre franche.

D'ordinaire, les pilotes de cockpit consistent en un module dans lequel sont réunis le compas, le moteur et le vérin. Dans les modèles de cockpit plus grands, l'unité de commande et le compas sont logés dans deux modules distincts qui peuvent communiquer avec d'autres capteurs extérieurs via un bus de données.

Les instruments d'Autohelm qui sont compatibles avec le bus Sea Talk, portent le préfixe ST et ceux de Navico, le label Corus.

Les pilotes de barre franche ne sont pas très puissants et ne peuvent donc être utilisés que sur des bateaux de petite taille. Ils sont équipés de moteurs électriques compacts qui consomment peu d'énergie, mais dont la force doit être multipliée par une baisse de régime avant d'être exercée sur le vérin. C'est ce qui les rend bruyants et le bruit qu'ils produisent lorsqu'ils fonctionnent est gênant. Dans des conditions normales, les pilotes de cockpit consomment relativement peu d'énergie. Sous de fortes contraintes, ils peuvent néanmoins consommer jusqu'à 3 A. En plus, ils réagissent plutôt lentement.

Marques et modèles disponibles sur le marché :
- ? Autohelm 800
- ? Autohelm ST 1000
- ? Autohelm ST 2000
- ? Autohelm ST 4000 Tiller
- ? Navico TP 100
- ? Navico TP 300

Pilote de barre franche Autohelm ST 800

Les pilotes de cockpit pour barre à roue

Les pilotes de barre à roue sont similaires aux pilotes de barre franche. L'unique différence est, qu'avec un pilote de barre à roue, les corrections de cap sont imprimées par une courroie d'entraînement, une courroie dentée ou une roue dentée qui agit sur une poulie montée sur la barre à roue. Les pilotes de barre à roue peuvent être connectés sur un bus de données.

Marques et modèles disponibles
sur le marché :
  Autohelm ST 3000
  Autohelm ST 4000 Wheel
  Navico WP 100
  Navico WP 300 CX

Pilote de barre à roue Navico WP 300 CX

Les pilotes intégrés

Les pilotes intégrés sont équipés d'un vérin ou d'un système hydraulique et de moteurs puissants qui sont raccordés à la mèche ou au secteur du gouvernail et agissent directement sur le safran principal. La jonction mécanique et le vérin peuvent être éventuellement remplacés par un système hydraulique. La pompe à huile de ce système hydraulique génère la pression nécessaire à l'actionnement d'un cylindre hydraulique qui agit, à son tour, sur le gouvernail. Ce système est conçu pour être monté sur des bateaux de grande taille. Les pilotes hydrauliques surdimensionnés, destinés aux bateaux d'une longueur de plus de 21 m/60 ft, sont équipés de pompes qui fonctionnent en continu et sont actionnées par des électrovannes.

Les trois modules du pilote intégré

L'unité de commande

L'unité de commande permet d'activer les différentes fonctions du pilote et autres modules connectés sur le bus de données. Elle est généralement dotée de touches (Autohelm) ou de boutons-poussoirs (Robertson). L'écran existe en divers formats. Les écrans de grand format offrent forcément une meilleure lisibilité. Toute exposition au soleil nuisant au contraste des écrans LCD même les plus performants, il est conseillé de les installer toujours à la verticale sur le pont. Le cas échéant, il y a moyen d'installer plusieurs unités de commande en différents endroits afin que l'opérateur ne soit pas obligé de rester dans le cockpit. Il existe également des télécommandes qui offrent une liberté de mouvement encore plus grande, ainsi que des joysticks qui agissent directement sur le pilote.

L'unité centrale de traitement (UCT)

L'unité centrale de traitement consiste en un ordinateur de bord, un compas, un capteur d'angle de barre, une girouette-anémomètre et une série de périphériques.

L'ordinateur de bord

L'ordinateur de bord, installé sous le pont, se charge du traitement de l'ensemble des commandes et signaux, du calcul des corrections de cap (position du gouvernail) et de l'activation du moteur du pilote. Autrement dit, il sert d'interface entre le software et le hardware et transpose les signaux en actions. Il existe deux types d'ordinateurs de bord :

?   l'ordinateur de bord manuel qui doit être installé et configuré par l'utilisateur et/ou l'installateur ;

?   l'ordinateur de bord autodidacte doté d'un système d'auto-apprentissage basé sur les dernières opérations et les données en mémoire.

Chacun d'eux a ses avantages, mais en général les navigateurs optent pour la solution de la facilité, c.-à-d. l'ordinateur autodidacte. Au-delà des quelques décisions élémentaires qu'il est appelé à prendre (mode de gain, fonction virement automatique, compas ou girouette), l'utilisateur doit dès lors uniquement s'assurer que le logiciel s'acquitte dûment de sa tâche. L'objectif primordial est d'obtenir un niveau de performance maximal tout en consommant un minimum d'énergie. Or, aucune de ces deux solutions n'est parfaite : les unités programmées par défaut ne sont jamais au diapason des conditions réelles et les unités à programmer soi-même ne donnent des résultats optimaux que si leur utilisateur est un véritable professionnel.

Le compas

À terre, les compas fonctionnent à merveille. Mais une fois en mer, les problèmes commencent : le tangage, le roulis, le gîte, les accélérations et décélérations lui donnent du fil à retordre. Pour pouvoir s'acquitter dûment de sa tâche, l'ordinateur de bord doit recevoir du compas un signal clair et intelligible, le cap de l'autopilote étant pleinement tributaire de l'impulsion de guidage en provenance du compas.

L'emplacement du compas est très important. Avant de l'installer, lisez donc attentivement ce qui suit :

?   Plus le compas est éloigné du centre du bateau, plus il sera aux prises avec des mouvements qui risquent de le perturber.

?   Toute interférence électromagnétique compromet la qualité du signal. Le compas doit donc être installé à l'écart de tout moteur, pompe ou générateur électrique, radio, télévision, instrument de navigation, câble d'alimentation et objet métallique.

?   Les compas n'aiment pas les écarts de température. Ne les installez donc jamais à un endroit où ils risquent d'être en plein soleil ni à proximité d'un moteur, d'un réchaud ou d'un appareil de chauffage.

Sur la plupart des yachts à voile, l'endroit le plus approprié est sous le pont, au pied du mât, à condition que leur coque ne soit pas en acier. Sur les yachts récents, l'endroit le plus stable est situé un peu plus en arrière, à environ à un tiers de la distance entre la poupe et l'étrave du bateau. Sur des bateaux en acier, il y a plusieurs solutions. La première, appliquée avec succès par Robertson sur des bateaux de pêche commerciaux, consiste à installer sous le boîtier du compas un compas magnétique avec détecteur de cap qui détecte les interférences électromagnétiques. D'autres fabricants installent leurs compas fluxgate sur le pont ou même dans le mât, qui n'est pourtant pas l'endroit rêvé, vu son instabilité. Sur les bateaux en acier, il est particulièrement important d'installer le compas à bon escient et que ce dernier soit bien calibré (un compas Fluxgate ne peut être installé en aucun cas sous le pont d'un bateau en acier).

La distance entre le compas et l'ordinateur doit être la plus courte possible afin d'éviter les pertes de tension. Plus la distance est grande, plus les câbles de raccord devront être gros. Et enfin, autre détail important : le compas doit être installé à un endroit facilement accessible.

Vous avez le choix entre trois types de compas : le compas magnétique, le compas fluxgate et le compas gyroscopique. En version standard, la plupart des bateaux sont équipés d'un compas fluxgate. Mais il existe aussi des systèmes plus performants, tels que l'accéléromètre GyroPlus d'Autohelm ou ce nouveau type de compas Robertson qui convertit les signaux fluxgate en des signaux de fréquence dont les variations sont plus faciles à monitorer. Parmi les autres solutions d'optimisation, il y a également l'amortissement et le nivellement électronique. La qualité de l'impulsion de guidage est proportionnelle au prix et à la qualité du système de détection. *You get what you pay for* !

Concrètement, cela signifie que vous payerez environ £200 pour un simple compas fluxgate, £240 pour un compas magnétique et détecteur de cap, mais jusqu'à £9000 pour un compas gyroscopique high-tech.

Le capteur d'angle de barre

Ce capteur informe l'ordinateur de bord de la position du gouvernail. Ce capteur peut être intégré au pilote (où l'on ne risque pas de marcher dessus) ou sur la mèche du gouvernail (plus vulnérable).

La girouette-anémomètre

Ce capteur monté sur une girouette ou un mât transmet à l'ordinateur de bord des informations sur l'angle du vent apparent.

Les périphériques

Les signaux en provenance d'autres instruments de navigation tels que Decca, GPS, Loran, radar, loch et échosondeur, offrent autant d'informations supplémentaires dont l'ordinateur peut tirer profit pour calculer le cap avec une précision encore plus grande.

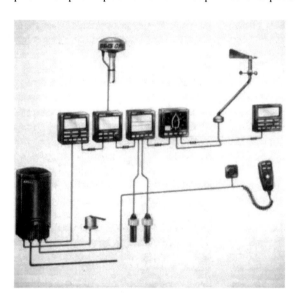

Les différents modules d'un pilote intégré Brookes & Gatehous

Les différents types d'autopilotes intégrés

Il existe quatre types d'autopilotes intégrés.

1 Les autopilotes linéaires mécaniques

Le moteur électrique agit sur le vérin, via un système de transmission mécanique. Ces autopilotes sont similaires aux pilotes de cockpit, mais nettement plus puissants. Vous avez le choix entre un moteur électrique à vitesse fixe (simple et bon marché, mais gourmand en énergie) et un moteur électrique à vitesse variable (plus efficace). Les autopilotes linéaires mécaniques sont plus efficaces au plan énergétique que leurs homologues linéaires hydrauliques, mais ils sont plus sensibles aux surcharges mécaniques dans des conditions extrêmes. L'usure les rend bruyants quand ils fonctionnent. Autrement dit, ils deviennent de plus en plus gênants avec le temps. Si l'autopilote est destiné à un usage intensif et appelé à être soumis à de fortes contraintes, il est préférable d'opter pour des organes d'accouplement en acier plutôt qu'en matière plastique, moins résistants. Autohelm propose un kit "Grand Prix" pour optimiser ses autopilotes linéaires. Robertson et la plupart des autres fabricants équipent d'office leurs autopilotes d'organes d'accouplement en acier.

Les autopilotes mécaniques sont moins encombrants que les autopilotes hydrauliques qui, contrairement à eux, sont équipés à l'arrière d'un dispositif de réglage de la plongée du bélier. Mark Parkin de Simrad UK a noté que nombre d'architectes navals oublient de tenir compte de l'emplacement requis par cette protubérance et se voient ainsi finalement contraints d'installer un autopilote linéaire.

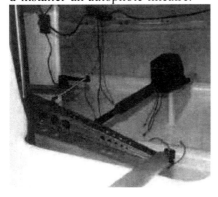

Pilote linéaire mécanique Autohelm sur l'ULDB *Budapest* de 18m/ 60 ft

2 Les pilotes linéaires hydrauliques

Le vérin est actionné par une pompe hydraulique. Les autopilotes linéaires hydrauliques ont leur place sur des yachts de grande taille dont le gouvernail est soumis à de très fortes contraintes. Ils peuvent être actionnés par des pompes hydrauliques distinctes (Autohelm, VDO) ou intégrées (Brookes and Gatehouse, Robertson). Robertson propose également des "dual drives" ou doubles autopilotes linéaires qui sont deux fois plus puissants. Les autopilotes hydrauliques sont protégés contre les surcharges mécaniques par une valve qui s'ouvre lorsque la pression de l'huile atteint un certain plafond et par le coussin d'huile qui se forme suite à l'ouverture de cette valve. Les autopilotes linéaires hydrauliques sont nettement plus silencieux que les autopilotes linéaires mécaniques et ce, même à long terme. Ils sont donc plus confortables à bord. En plus, ils ont une longévité nettement supérieure : un atout indéniable pour qui fait de longues croisières et pourra se contenter d'emmener tout au plus quelques joints de rechange. Étant équipés à l'arrière d'un dispositif de réglage de la plongée du bélier (cf. plus haut), les autopilotes linéaires hydrauliques doivent être montés un peu plus en hauteur pour empêcher que ce dispositif ne heurte la coque.

3 Les pilotes hydrauliques

Ces pompes hydrauliques électromécaniques se branchent directement sur le circuit hydraulique de la barre à roue. Pour piloter un bateau de 25 tonnes ou plus, on peut utiliser une pompe qui génère en continu la force requise. À chaque mouvement du gouvernail, cette pompe, qui est constamment sous haute pression, agit dès lors intempestivement sur le système de guidage. Le bruit qui en résulte lui a valu le surnom de "bang-bang pilot".

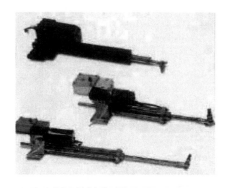

Autopilotes hydrauliques Robertson

4 Les pilotes à chaîne

Le moteur électrique agit sur le gouvernail par le biais d'une transmission à chaîne. Les autopilotes à chaîne sont une solution idéale lorsqu'on a peu de place ou sur des bateaux moins récents dont la barre à roue s'oppose à l'installation de tout autre type d'autopilote. Les autopilotes pour barre à roue Whitlock peuvent être actionnés par n'importe quel moteur mécanique dont le bateau est déjà équipé et branché sur le système de transmission situé sous le pont. Dans ce cas, il suffit d'installer l'UCT et le module de commande.

L'autopilote doit être raccordé au gouvernail par un bras relativement court ou par la barre franche, si elle n'est pas trop longue, ou au secteur de la barre. Dans les deux cas, il doit être solidement arrimé à la coque qui, souvent, demande à être structurellement renforcée à cette fin.

Lorsque l'autopilote sert à réduire l'inertie, la barre à roue doit être mécaniquement déconnectée à l'aide de :

a) un embrayage mécanique (Edson),
b) une goupille mécanique (Alpha),
c) un embrayage mécanique actionné par une électrovanne (Autohelm), ou
d) un by-pass hydraulique actionné par une électrovanne

Si la barre à roue n'est pas dûment déconnectée, l'autopilote réagira trop lentement et consommera davantage. Lorsqu'on tient soi-même la barre, on a également intérêt à déconnecter ou court-circuiter l'autopilote afin que la barre soit plus sensible et pour permettre au gouvernail, dont l'angle de rotation est généralement limité par l'autopilote, de se mouvoir librement. Moins il y a de frictions, plus la barre à roue se laissera manœuvrer aisément.

Lorsque l'autopilote est mécaniquement déconnecté, il y a lieu d'immobiliser le bras de raccord pour empêcher qu'il n'aille dans tous les sens. Pour empêcher que le bélier hydraulique actionné par l'autopilote heurte les butées du gouvernail, il faut veiller à ce que la course de l'autopilote ne soit pas supérieure à celle du gouvernail. Lorsque le bateau est équipé d'un autopilote, il faut absolument prévoir un interrupteur d'arrêt d'urgence installé à proximité de la barre que l'on puisse actionner rapidement en cas de problèmes. Cet interrupteur ne peut jamais être monté sous le pont. En cas d'urgence, la distance entre la barre et le poste de navigation ou le panneau disjoncteur serait trop longue à franchir et risquerait d'être fatale pour l'autopilote. Chez Robertson, cet interrupteur est incorporé d'office dans la console de commande de l'autopilote.

Installer le système DIY d'un pilote intégré est un exercice complexe et périlleux pour quelqu'un qui ne s'y connaît pas vraiment. C'est probablement la raison pour laquelle Robertson n'offre aucune garantie sur ces systèmes.

Blue Papillon, un Jongert de 29 m/ 95 ft
équipé d'un autopilote Segatron

Systèmes intégrés

Il y a quelques années encore, les propriétaires de bateaux achetaient généralement leurs instruments de navigation séparément, optant pour des échosondeurs, radars, compas, anémomètres, Decca, GPS, lecteurs de carte, speedomètres et autopilotes de différentes marques.

Aujourd'hui, certains grands fabricants proposent des systèmes modulaires intégrés à géométrie variable. Cette innovation résulte du développement d'un bus de données spécial et d'un protocole de communication, ainsi que d'un ordinateur de bord dédié qui traite toutes les informations en provenance des différents modules connectés sur le bus et optimise, à la lumière de celles-ci, les différentes fonctions. Ainsi, un autopilote guidant un bateau entre deux waypoints GPS est par exemple capable de corriger tout écart de cap transversal, dû à des courants perpendiculaires au cap du bateau.

Depuis que certains fabricants d'instruments se sont convertis en fournisseurs de systèmes, le marché n'a désormais plus d'yeux que pour quelques acteurs majeurs.
Qui veut acheter un autopilote a le choix entre :
1   un autopilote qui fonctionne en toute autonomie et utilise uniquement les signaux en provenance d'une girouette ou d'un compas (par ex. Autohelm 800) ;
2   un autopilote qui est en communication avec d'autres modules via un bus de données (par ex. SeaTalk from Autohelm, Robnet by Robertson) et/ou une interface NMEA 0183 ;
3   un système dont les modules ne peuvent être connectés que sur le bus de données du fabricant (B&G).

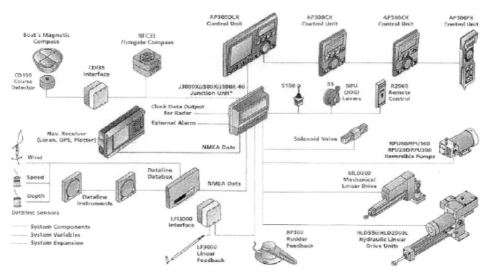

Exemple de système Simrad pour autopilotes Robertson.

Aujourd'hui, la plupart des autopilotes font partie intégrante d'un système complexe sur lequel, grâce aux interfaces NMEA (National Marine Electronics Association), peuvent venir se greffer des instruments de différents constructeurs. Il y a quelques années, il fallait être optimiste pour croire que tous ces instruments puissent parfaitement communiquer entre eux en utilisant les mêmes interfaces. En dépit de l'existence de différents standards, y compris pour les interfaces NMEA, nombreux sont les navigateurs qui l'ont appris à leurs dépens. Quant aux fabricants d'instruments, ils se renvoyaient systématiquement la balle : quand il y avait un problème de communication, c'était toujours la faute de l'instrument situé de l'autre côté de l'interface ! À ce jour, on est heureusement parvenu à remédier à la plupart de ces maladies de jeunesse. Il n'empêche que sur le plan de la rapidité, les bus de données spécifiquement conçus pour une marque d'instruments continuent de battre les interfaces NMEA : un atout qui mérite d'être souligné, la vitesse de transmission d'une impulsion de guidage en provenance d'un capteur ne pouvant jamais être assez rapide.

Un autopilote qui réagit aux signaux d'un compas fluxgate ou gyroscopique optimisés par un système de navigation intégré, est parfaitement capable de guider un bateau d'un waypoint à l'autre – à condition, bien entendu, que le vent veuille bien coopérer.

Le NavPlotter 100 d'Autohelm

La girouette-anémomètre

La plupart des autopilotes peuvent être assistés par une girouette-anémomètre qui leur transmet des informations sur l'angle du vent apparent. Le signal de cette girouette-anémomètre leur sert dès lors d'impulsion de guidage. Ce signal est fourni soit par l'unité de tête de mât, soit par une petite girouette fixée sur un mât à l'arrière du bateau. Aucune de ces deux solutions n'est cependant réellement satisfaisante en cas de houle, grande ou petite, pour la bonne raison que la qualité du signal est compromise par les mouvements du mât et de l'unité de tête de mât, la déflexion de l'air vers le haut par la grand'voile ou les turbulences à l'arrière du bateau. La petite taille de cet instrument n'est pas pour améliorer le problème.

Lorsqu'on se sert d'un ordinateur de bord pour calculer l'angle du vent apparent, celui-ci doit tenir compte d'un tas d'autres paramètres concrets tels que le roulis, le tangage, la vitesse, l'accélération, l'angle du vent réel, etc. pour pouvoir donner au module de commande des instructions précises se traduisant par une tenue de cap optimale. Quand on navigue, l'autopilote peut être assisté à une girouette-anémomètre ou un compas, mais jamais par un instrument de navigation ou de positionnement. Si vous voulez que votre bateau avance, il est essentiel de naviguer par rapport à l'angle du vent apparent.

La consommation d'un autopilote

La consommation en énergie d'un autopilote dépend non seulement de sa puissance, mais aussi d'autres facteurs tels que :

? la longueur et le déplacement du bateau : plus le bateau est grand, plus l'autopilote consommera de l'énergie ;

? le type de gouvernail : l'autopilote devra exercer plus de force sur un gouvernail monté sur la quille et non compensé que sur un gouvernail semi-compensé à guibre. Les gouvernails entièrement compensés et sans guibre demandent encore moins d'efforts ;

? la vitesse à laquelle la position du gouvernail doit être corrigée : cette vitesse dépend de la stabilité de cap du bateau et donc indirectement de la forme de sa carène ;

? le réglage et la prise des voiles : un bateau dont les voiles sont mal réglées et ont trop de prise du côté du vent demande nettement plus d'efforts de la part de l'autopilote qu'un bateau bien équilibré ;

? les conditions de la mer : plus la houle est forte et plus les embardées sont grandes, plus l'autopilote aura à intervenir ;

? la précision de pilotage souhaitée : plus vous voulez que le bateau se conforme au cap de consigne, plus l'autopilote aura du pain sur la planche ;

? le logiciel ou précision du réglage manuel : plus les algorithmes de l'ordinateur de bord sont ciblés, c.-à-d. au diapason du bateau qu'ils sont appelés à piloter, plus vous épargnerez de l'énergie. La consommation énergétique d'un autopilote réglé manuellement dépend quant à elle en grande partie de la sensibilité de cet autopilote et de sa facilité de réglage.

Comment économiser de l'énergie ?

Une fois qu'on a tenu compte de tous ces aspects susceptibles de réduire déjà considérablement la consommation en énergie, reste à diminuer la fréquence des corrections de cap. Pour ce faire, il y a lieu d'agrandir l'angle dont le bateau peut s'écarter de sa route avant que l'autopilote n'ait à intervenir, autrement dit, d'offrir au bateau une plus grande liberté de manœuvre entre deux corrections de cap.

Tous les autopilotes modernes sont autodidactes, c.-à-d. programmés pour reconnaître certains lacets récurrents. Leur cycle de fonctionnement, ainsi que le temps de fonctionnement du moteur s'en trouvent écourtés. En présence d'un mouvement qui leur est familier, cela leur permet également d'intervenir très rapidement et de déployer, à ce stade précoce, moins d'efforts que s'ils intervenaient plus tard. Hélas, la liste des mesures visant à économiser de l'énergie s'arrête là.

La consommation moyenne dont font état les fabricants de pilotes de cockpit est basée sur un cycle de fonctionnement de 25%. Concrètement, cela supposerait que l'autopilote n'ait à intervenir qu'à concurrence de 15 min./heure, ce qui ne nous paraît pas très réaliste. La consommation moyenne effective risque donc d'être plus élevée.

C'est surtout quand on fait de longs voyages qu'on se rend compte de l'abîme entre la théorie et la pratique. Sur un bateau, la maîtrise de l'énergie est pourtant doublement importante, car chaque ampère que l'on consomme doit être généré à bord. La différence entre la consommation moyenne indiquée par les constructeurs et le temps de fonctionnement effectif du moteur de l'autopilote peut être considérable. La réalité ne correspond jamais à une moyenne et la consommation réelle est toujours supérieure à la moyenne.

Un bateau uniquement équipé d'un échosondeur, d'un GPS de poche, de lampes à paraffine, d'un régulateur d'allure et sans réfrigérateur – dont la consommation est donc réduite au maximum – ne risque pas d'épuiser ses batteries. Or, ce bateau n'a aucune commune mesure avec la moyenne des yachts de croisière. La flotte de l'ARC, qui passe chaque automne par les îles Canaries, en dit long à ce sujet. Depuis une dizaine d'années, les yachts qui y participent ont en moyenne une longueur 13 m/44 ft. Ceux de moins de 33 ft se comptent sur les doigts de la main. En plus, ils sont généralement super équipés, non seulement d'instruments de navigation sophistiqués tels que GPS, lecteurs de carte et radar, onde courte, radio SSB et VHF, mais aussi d'un réfrigérateur, de pompes, d'un dessalinisateur et d'un éclairage extérieur.

Sur un bateau de 13 m/44 ft croisant sous des latitudes plus chaudes, l'ensemble de ces appareils consomme en moyenne 120 ampères-heures (Ah) par jour – sans compter la consommation d'un autopilote électrique. Cet exemple montre clairement à quel point la maîtrise de l'énergie est importante à bord d'un yacht à voile. L'impact d'un autopilote sur le budget énergétique est considérable, surtout lorsqu'il s'agit d'un modèle hautement performant. Tous les livres consacrés au problème de la maîtrise de l'énergie à bord d'un bateau sont unanimes : qui prête trop peu d'attention à ce problème complexe avant le départ le regrettera amèrement une fois en mer.

Pilote de barre à roue Autohelm

Pour un bateau de 13 m/44 ft, comme celui que nous avons pris en exemple, les constructeurs conseillent d'utiliser un autopilote qui consomme de 2,7 à 6 A/heure. Cela veut dire que s'il fonctionne en permanence, cet autopilote fera grimper la consommation totale du bateau d'au moins 50% sur une période de 24 heures. En plus, on ne peut pas perdre de vue que si la tension devient trop faible (moins de 10,5 V), certains appareils branchés sur le circuit électrique du bateau tomberont en panne. À la lumière de toutes ces données, une batterie d'une capacité de 600 Ah n'est pas un luxe superflu.

Les générateurs à vent, eau, vagues et énergie solaire peuvent aider, mais comme ils sont tributaires des conditions atmosphériques, jamais au point de pouvoir répondre systématiquement à ces besoins en énergie supplémentaire journaliers. Le navigateur et organisateur de courses Jimmy Cornell l'a d'ailleurs confirmé à l'issue d'un debriefing avec les navigateurs qui avaient participé à la course Europa de 1992. En plus, si un des générateurs d'appoint a des problèmes ou tombe en panne, les autres devront forcément tourner plus longtemps et risqueront, en l'absence d'une bonne isolation acoustique, d'empester rapidement la vie à bord. La chaleur supplémentaire qu'ils génèrent peut, quant à elle, parfois venir à point, par exemple aux heures les plus fraîches aux Bermudes...

Les problèmes d'énergie sont bien entendu moins cuisants sur des bateaux de plaisance, du fait qu'on n'est jamais très loin d'un port où il y a moyen de recharger les batteries.

Les fonctionnalités de l'autopilote (Autohelm 6000/7000)

1. Sélection de gain (9 possibilités de configuration) : dose la réaction du gouvernail en fonction de l'écart du cap de consigne. Si l'angle est trop grand, le bateau survirera. S'il est trop petit, le bateau sous-virera.
2. Amortissement (9 possibilités de configuration) : permet d'amortir les embardées.
3. Position du gouvernail par rapport à l'axe central du bateau : angle réglable de -7 à +7 degrés.
4. Limitation de la course du gouvernail : cette fonction limite la course de l'autopilote fonctionnant à plein régime pour l'empêcher d'occasionner des dégâts mécaniques.
5. Vitesse de réponse : détermine la vitesse à laquelle le bateau réagit aux corrections de cap de l'autopilote.
6. L'autopilote peut être configuré pour une vitesse de croisière moyenne ou toute autre vitesse de 4 à 60 nœuds (bateau à voiles ou à moteur).
7. Alarme de déviation de cap : alarme sonore se déclenchant lorsque le bateau s'écarte pendant plus de 20 secondes de x degrés (valeur programmable) du cap de consigne.
8. Trim (4 possibilités de configuration) : réglage du mouvement supplémentaire que le gouvernail doit exécuter pour neutraliser les poussées excentrées (par ex. pour actionner une hélice excentrée). Cette fonction n'est utilisée que sur des bateaux à moteur.
9. Joystick : deux possibilités de configuration (peu pertinent sur un bateau à voiles)
10. Configuration en fonction du type d'autopilote (linéaire ou hydraulique).
11. Temporisation (9 possibilités de configuration) : retarde la réaction de l'autopilote lorsqu'il a du jeu ou du mou sur le système de pilotage.
12. Possibilité de saisir une déviation compas à partir d'une carte.
13. Dispositif de compensation de la déviation N-S : permet au compas de recevoir un signal précis dans des régions où le nord est instable.
14. Vitesse de réponse de l'autopilote (3 possibilités de configuration) : plus la vitesse de réaction est élevée, plus le bateau se conformera au cap de consigne et plus la consommation électrique sera élevée.

Toutes ces fonctions sont programmées par défaut au départ de l'usine, mais peuvent être modifiées à bord. Le tout est d'apporter ces modifications en tenant compte, pour chacune d'entre elles, des caractéristiques spécifiques du bateau.

En résumé, sachez que le niveau de performance de tout autopilote dépend de ses accessoires. Ceci ne pouvant être optimisé, l'unique chose que l'on puisse faire une fois que l'autopilote est dûment configuré, c'est espacer davantage les corrections de cap pour économiser de l'énergie, tout en s'assurant que le bateau est bien équilibré et que les voiles sont bien réglées. C'est clair que plus le degré de précision souhaité est élevé, plus le gouvernail devra intervenir fréquemment et plus l'autopilote consommera.

Les limites des autopilotes

Les vents changeants donnent du fil à retordre même aux autopilotes les plus performants, car ils sont incapables de détecter les petits changements d'orientation du vent (voiles à contre). L'unique solution est d'opter pour un cap plus bas ce qui, hé las, signifie s'écarter davantage du cap de consigne. On peut bien entendu connecter une girouette-anémomètre sur l'ordinateur de bord mais, comme nous l'avons vu plus haut, celle-ci ne donne pas toujours les résultats escomptés.

Qui navigue en haute mer a pourtant forcément affaire à des vents arrière. Les routes autour du monde sont universellement connues. Tous les navigateurs qui font de longs voyages savent qu'ils devront composer avec des alizés, mais rêvent de naviguer allures portantes. Il est donc essentiel qu'un autopilote, ou tout autre système de pilotage automatique, puisse maintenir le cap lorsqu'il navigue vent arrière. Tout navigateur chevronné sait qu'il ne doit pas s'attendre à ce qu'un autopilote fasse des miracles et soit capable de fournir une précision de cap de 5° dans les alizés et dans la houle que ces vents provoquent. Mais il sait également que si son autopilote s'écarte brusquement de 100° de la route préconisée, il arrivera à bon port, mais probablement pas là où il l'espérait.

Pour être sûr de maintenir le cap avec un autopilote non assisté, il n'y a qu'une solution : acheter un autopilote puissant et rapide. En l'absence de tout autre système capable de maintenir le cap, quelle que soient les conditions du vent et de la mer, cette option fait inévitablement ressurgir le problème de la consommation énergétique. Finalement, c'est à chaque skipper de décider, en fonction des budgets dont il dispose et de ses besoins journaliers en électricité, quelle solution répond le mieux à ses exigences.

Les problèmes de consommation poussent souvent les navigateurs à opter pour un autopilote légèrement sous-dimensionné. Or, il est clair que dès que les conditions ne sont plus optimales, cet autopilote devra fonctionner en limite de ses capacités et en souffrira. N'ayant plus la moindre réserve de vitesse ni de puissance pour répondre à une demande d'efforts supplémentaires, il risque de ne plus être à la hauteur, c.-à-d. de réagir trop lentement et de ne plus avoir la force de maintenir le cap. Dans de telles conditions, le risque de surcharge mécanique est réel. Chuck Hawley de West Marine (qui, avec ses quelques 400 points de vente et de service aux États-Unis, figure parmi les plus gros distributeurs d'autopilotes du monde) va même plus loin en affirmant dans son catalogue d'entreprise que, lors de longs voyages, « tout pilote de cockpit sera inévitablement appelé à être réparé ». Et de poursuivre : « Pour de longs voyages, nous vous conseillons donc vivement :
  - soit d'emmener un pilote de réserve au cas où le premier rendrait l'âme ;
  - soit d'installer en plus un régulateur d'allure afin de ne pas dépendre uniquement de votre autopilote ;
  - soit de vous faire à l'idée que vous devrez vous-même tenir la barre, sans fermer l'œil ou presque. »

Les vitesses de fonctionnement et les caractéristiques techniques des différents pilotes de cockpit sont un bon repère pour se faire une idée de leurs performances.

Interférences électromagnétiques

Les interférences électromagnétiques générées par les transmetteurs et récepteurs HF à bord étaient autrefois un problème courant se traduisant par un comportement anormal de l'autopilote (brusques écarts de cap). Ce problème devrait être bientôt résolu grâce à l'introduction du standard européen de compatibilité électromagnétique CEM. La meilleure façon de protéger les systèmes électroniques actuels contre ce type d'interférences est d'isoler dûment les câbles d'alimentation.

Navigation extrême

Les autopilotes sont incapables de s'acquitter dûment de leur tâche dans les régions du globe où le nord est instable. Les solitaires du BOC Challenge et du Vendée Globe sont unanimes : sous les hautes latitudes du Pacifique Sud, les compas des autopilotes perdent littéralement le nord. Lors de l'édition 1992 du Vendée Globe (course autour du monde en solitaire et sans escale), Nandor Fa – skipper du yacht hongrois *K & H Bank* aux prises avec ce problème – reçut, en réponse au fax qu'il avait envoyé au constructeur de son pilote Robertson pour demander ce qu'il devait faire, le conseil suivant : « Décrivez en l'espace de quelques minutes trois cercles complets en eaux calmes. Cela devrait permettre au compas de se réorienter spontanément ».

Nandor Fa à bord du *K & H Bank*

Un conseil judicieux, si ce n'est que "eaux calmes" ne rime pas avec le comportement chaotique des océans de l'hémisphère sud. Après avoir barré lui-même pendant plusieurs jours, Fa eut soudain l'idée de démonter le compas et de le faire pivoter doucement dans sa main. Depuis lors, il utilise des systèmes Autohelm, qui sont aujourd'hui assistés par un logiciel GPS, spécialement conçu pour aider le compas à envoyer des signaux précis même lorsque le nord est instable. Cette étroite collaboration entre les constructeurs et les navigateurs qui participent à des courses comme le BOC et le Vendée Globe est garante d'un perfectionnement permanent de ces systèmes. De nos jours, presque tous les voiliers qui participent à des courses autour du monde sont équipés de systèmes Autohelm.

Un des résultats de cette collaboration a été le développement d'organes d'accouplement plus robustes pour la navigation hauturière. En 1996, Autohelm a lancé un kit "Grand-Prix" pour optimiser ses séries 4000/6000/7000. Les pièces qui sont traditionnellement en Delrin® (matière plastique) y sont remplacées par des pièces équivalentes en acier. Les organes d'accouplement en plastique sont idéaux pour la navigation de plaisance, mais ne sont souvent pas faits pour résister aux énormes contraintes auxquelles ils sont soumis lors de longs voyages en haute mer. Les systèmes hydrauliques sont immunisés contre ce genre de problèmes pour la bonne raison qu'ils sont dénués de tout organe de transmission mécanique (Autohelm 6000/7000 à transmission hydraulique ou hydraulique/linéaire, B&G Network, Hydra 2, Robertson, VDO, Cetrek, Navico, Coursemaster, Silva, Alpha, W-H).

À chaque application son autopilote...

Navigation de plaisance

La plupart des navigateurs se servent de leur bateau le week-end ou durant les vacances. C'est ce qui explique, du moins en partie, l'énorme essor des autopilotes électriques. C'est vrai que lorsqu'on fait des excursions d'un jour, le problème de la consommation ne se pose pas vraiment. Celui de la performance est également relatif puisqu'en cas de défaillance de l'autopilote, il y a toujours moyen de prendre soi-même la relève. À cela s'ajoute que les conditions de la mer sont rarement de nature à compromettre la performance de pilotage puisque la plupart des plaisanciers ne s'aventurent pas dans des eaux exposées. Comme pour la majorité des plaisanciers tenir la barre fait partie des joies de la navigation, l'autopilote est tout au plus une commodité. Il décharge le skipper des tâches fastidieuses (comme barrer lorsqu'on navigue au moteur) et lui permet de quitter la barre pour, par exemple, manger à l'aise avec les autres. Les autopilotes électriques (du moins ceux de cockpit) ont en plus l'avantage d'être, financièrement, à la portée de tout un chacun.

La pertinence d'un autopilote est proportionnelle à la longueur du voyage. Pour de courts voyages, vous trouverez toujours l'un ou l'autre volontaire disposé à se sacrifier. Mais plus le voyage est long, plus vous féliciterez de pouvoir vous en remettre à un autopilote. La moyenne des plaisanciers dispose d'un bon autopilote, mais s'en sert relativement peu.

Grâce notamment à ses pilotes de cockpit, Autohelm s'est forgé une solide réputation auprès des plaisanciers. Aujourd'hui la société possède 90% des parts du marché et est le numéro un mondial incontesté en matière de systèmes spécialement conçus pour la navigation de plaisance.

Croisières côtières

La navigation côtière dans des eaux non protégées est généralement synonyme de voyages nettement plus longs, avec un équipage réduit qui ne tarde pas à s'essouffler et est dès lors heureux de pouvoir s'en remettre à un autopilote. L'autopilote utilisé à cette fin est appelé à composer avec l'état de la mer et toute une série de facteurs comme les courants de marée, les bas-fonds, les chenaux étroits et les vents de travers, qui ont un impact sur ses performances. La houle lui rend la vie dure et plus les vagues sont hautes et se multiplient, plus elles mettent en évidence les faiblesses de tel ou tel autre système. Il est donc clair que dans de mauvaises conditions, les systèmes intelligents et autodidactes donneront de meilleurs résultats que ceux qui sont configurés par défaut au départ de l'usine et ne peuvent être ajustés par la suite.

Les bateaux utilisés pour la navigation côtière sont généralement super équipés. Dans la plupart des cas, leurs propriétaires les dotent donc de pilotes de cockpit puissants et performants qui sont directement branchés sur le gouvernail et qui sont moins rapidement exposés aux aléas de la navigation dans des eaux non protégées que les modèles pas assez puissants. Bien qu'étant inévitablement plus gourmands en énergie, ces pilotes puissants sont rarement à l'origine de problèmes de batteries, car qui cabote, navigue régulièrement au moteur.

Navigation hauturière

Pour un autopilote, la haute mer représente l'ultime défi. Un système sous-dimensionné aux prises avec la force brute de l'océan réagira trop lentement et faiblement que pour parer aux risques d'embardées. La crainte de perdre le contrôle et d'être à la merci du vent au risque d'endommager les gréements ou le bateau est le cauchemar de tout navigateur. Si vous ne pouvez pas faire confiance à votre autopilote en haute mer, vous risquez de devoir passer une bonne partie de la traversée à la barre.

Le choix d'un autopilote à bon escient est donc primordial lorsqu'on navigue avec un équipage réduit, à deux ou seul : un millier de miles en mer suffit à faire entrevoir l'abîme entre la théorie et la réalité. Un mauvais choix risque d'hypothéquer tout le voyage. Nombreux sont les navigateurs qui en font déjà les frais peu après leur départ et qui avant de faire le "grand saut" font donc escale à Vilamoura, Gibraltar ou Las Palmas pour acheter des systèmes d'appoint, des pièces de rechange ou un régulateur d'allure en supplément de leur autopilote. Ce n'est pas par hasard que des sociétés comme Hydrovane et Windpilot vendent tant de régulateurs d'allure en ces lieux stratégiques !

Bien que tous les yachts de haute mer soient équipés d'office d'un autopilote, chaque modèle a ses limites. Pour parer aux risques de pannes d'énergie et/ou de défaillances mécaniques, il n'est donc pas question de s'en remettre à eux en permanence. Aussi performants soient-ils, vous serez forcément appelé à prendre par moments la relève : une corvée dont personne n'est friand et qui souvent empoisonne la vie à bord. Les performances des pilotes automatiques électriques diminuent considérablement dès l'instant où le vent et les vagues s'amplifient. Cela signifie que par gros temps, vous aurez pour inconvénient de devoir reprendre la barre, mais aussi pour avantage de voir arriver les vagues et peut-être même de les esquiver.

Du debriefief que Jimmy Cornell a eu avec les participants de la course autour du monde Europa 92 (course pour dilettantes dont il était l'organisateur), il ressort que les concurrents n'avaient utilisé leur autopilote que la moitié du temps passé en mer, préférant barrer le reste du temps eux-mêmes soit pour disposer d'une plus grande voilure et avancer plus vite, soit parce que leur système de pilotage automatique n'était pas en mesure de faire face aux conditions de la mer. Certains équipages ont même déclaré ne pas avoir osé se fier à leur technologie. La grande majorité des skippers s'étaient en revanche servis de leur pilote pour naviguer au moteur dans des eaux calmes, même s'ils choisissaient de piloter eux-mêmes lorsqu'il y avait assez de vent que pour hisser les voiles.

En plein océan, rien n'est jamais acquis : le vent peut tomber, se lever ou tourner d'une minute à l'autre. Maintenir le cap dans de telles conditions est un exercice particulièrement contraignant pour n'importe quel autopilote. Appelé à agir rapidement et énergiquement sur le gouvernail, le pilote consomme nettement plus et pèse lourd sur le budget énergétique du bateau. Ceci montre une fois de plus à quel point il est important de bien gérer ce budget lorsqu'on a l'intention de s'en remettre totalement à l'autopilote. Les autopilotes utilisés lors de l'Europa 92 consommaient en moyenne 4,9Ah (pour des bateaux d'une longueur moyenne de 15-18 m/ 42-50 ft).

À cela s'ajoute que la fiabilité électromécanique des systèmes de pilotage automatiques laisse toujours à désirer, surtout en haute mer. Concrètement, cela signifie que tôt ou tard votre autopilote vous fera faux bond et que vous serez obligé de prendre vous-même la barre. À la lumière d'une enquête menée récemment par l'American Seven Seas Cruising Association (SSCA), il semblerait qu'au terme de 300 heures de fonctionnement, les autopilotes montrent déjà les premiers signes de fatigue. Une étude américaine à plus large échelle a révélé quant à elle que les autopilotes ont en moyenne une longévité d'environ cinq ans. Cela veut dire que rien qu'aux États-Unis des milliers d'autopilotes rendent l'âme chaque année : une information qui donne à réfléchir, même si cette étude porte non seulement sur les bateaux à voile, mais aussi ceux à moteur et de pêche. Avant de s'aventurer sur l'océan, tout navigateur aurait intérêt à consulter dans les bureaux de l'ARC à Las Palmas la liste des demandes de réparation d'autopilotes pour se rendre compte de l'ampleur et de l'acuité du problème.

Il est logique que plus un circuit électrique est complexe et plus les composants qu'il alimente sont nombreux, plus il est exposé à des pannes, surtout quand on sait qu'une défaillance au niveau d'un de ses maillons, même le plus infime, suffit parfois à le paralyser complètement.

Ses deux grands ennemis à bord d'un bateau sont, d'une part, l'humidité omniprésente (y compris sous le pont) qui pose des problèmes lorsque ses composants ne sont pas parfaitement étanches et, d'autre part, la surchauffe. Les boîtiers dans lesquels Autohelm a logé ses autopilotes posent surtout des problèmes sous les tropiques du chef de leur couleur noire qui, en attirant la chaleur, provoque une surchauffe qui risque d'être fatale pour l'autopilote. Pour parer à ce problème, il n'y a qu'une solution : peindre ce boîtier en blanc !

On serait étonné de voir à quel point les gens qui vivent à bord de leur bateau finissent par sabrer dans leur équipement, se contentant du strict minimum et éliminant tout ce qui est superflu et crée du désordre. Le fait qu'un bon système de pilotage automatique y ait néanmoins toujours sa place témoigne de son importance.

L'ex-pharmacien Lorenz Findeisen a erré pendant des années dans les Caraïbes à bord de son Westerly 39. À la question de savoir dans quelle mesure son équipement avait évolué au fil des ans, il a répondu : « La plupart de mes appareils ont rendu l'âme depuis longtemps, mais c'est le cadet de mes soucis. Tant que le palan pour hisser l'ancre, mon réchaud et mon régulateur d'allure fonctionnent, rien ne m'empêche de continuer à naviguer. »

Autohelm est le leader du marché des pilotes intégrés. Robertson, qui a un énorme savoir-faire en matière de systèmes pour bateaux marchands, occupe la seconde place. Bien que spécialisée dans les détecteurs de haute précision pour bateaux de course, B&G propose un système Network ou Hydra 2 qui a déjà fait bien des heureux parmi les navigateurs de haute mer.

Courses

Parmi les bateaux de course, il faut faire une distinction entre :

1. les bateaux avec un équipage complet

La plupart de ces bateaux sont pilotés manuellement. Cela vaut pour toutes les courses, des plus courtes aux plus longues comme la célébrissime Whitbread Round The World Race. Les bateaux qui participent à la Whitbread ou autres courses analogues sont "extrêmes" tant au niveau de leur coque ultra légère (*ultralight displacement boats* ou ULDB) qui leur permet de naviguer à une très haute vitesse, qu'au niveau de leurs voiles qui sont surdimensionnées et réglables à souhait et de leur objectif qui est de naviguer en permanence à une vitesse maximale. La course extrême est un sport éreintant qui exige un maximum de la part des équipages, voire l'impossible lorsqu'il s'agit de grandes courses dont les sponsors veulent à tout prix que leur bateau gagne pour se faire de la publicité. Les seuls autopilotes qui conviennent à ce type de bateaux consistent en des systèmes informatisés avec pilote "intelligent" (type B&G Hydra/Hercules, Autohelm 6000/7000 ou Robertson AP 300 X).

Bateau de course avec équipage complet

Départ du Vendée Globe en novembre 1992

2. les ULDB en solitaire

Les concurrents du Vendée Globe, course autour du monde en solitaire et sans escale dont le coup d'envoi est donné tous les quatre ans aux Sables d'Olonne (France), ont exclusivement recours à des autopilotes électriques. Pour les constructeurs d'autopilotes, cette course, à laquelle participent des bateaux de 50 et 60 ft, représente l'ultime défi en ce sens que leurs instruments sont appelés à s'y acquitter de leur tâche dans des conditions extrêmes et sans l'aide d'un quelconque régulateur d'allure, inconcevable pour ce genre de courses (cf. § *Courses océaniques*). Certains bateaux plus anciens et plus lents participant au BOC Race (course autour du monde en solitaire par étapes) sont équipés de régulateurs d'allure. Ils le sont cependant uniquement à titre d'appoint, car ici aussi, ce sont les autopilotes qui font le gros du travail.

Le *Charente Maritime*, un ULDB de 60 ft

Sur les ULDB, qui sont rarement équipés d'un moteur, l'électricité est produite par des générateurs, des cellules solaires ou des éoliennes. Pouvant atteindre des vitesses de 25 nœuds, ces bateaux ne peuvent être équipés que de systèmes informatisés hyper puissants et intelligents : les seuls à être assez robustes et rapides que pour leur imprimer le cap requis. Tous ces bateaux ont un autopilote qui fonctionne pour ainsi dire en permanence. Bien qu'essayant de s'en tenir à un cycle de 10 minutes de veille suivi de 10 minutes de sommeil, les navigateurs qui participent à de longues courses en solitaire ne perdent jamais de vue la sécurité et la vitesse du bateau. Lors d'un Vendée Globe, Nandor Fa a perdu près de 12 kg. Autrement dit, il est bien placé pour connaître le prix de ce genre de privations.

La société Autohelm s'est taillée une place au soleil dans ce genre de compétitions extrêmes. Non seulement parce qu'elle est spécialisée dans ce domaine, mais aussi parce qu'elle doit son succès à sa présence avant, pendant et après les courses, à ses efforts en termes de service et aux étroites relations qu'elle entretient avec les participants.

Le choix d'un autopilote

Plus les bateaux sont de grande taille, moins les pilotes de cockpit s'avèrent efficaces. Les constructeurs précisent que leurs modèles les plus puissants sont conçus pour des bateaux de max. 9 tonnes. Personnellement, je crois que c'est présumer de leur force, surtout dans des conditions plus contraignantes. À cela s'ajoute le fait que plus ils doivent fournir d'efforts, plus ils consomment. Autrement dit, vous n'avez jamais intérêt à choisir un autopilote dimensionné au plus près de vos besoins.

Pour un pilote intégré, c'est le type de pilote (linéaire mécanique, linéaire hydraulique ou hydraulique) qui doit être choisi à bon escient. Ce choix doit être essentiellement fait en fonction
- de la taille du bateau
- du gouvernail
- de la capacité des batteries
- de l'usage que vous comptez en faire

Consommant moins de courant et conçus pour des bateaux de plus petite taille, les pilotes linéaires mécaniques n'ont pas assez de force que pour piloter des bateaux de 12 m/40 ft ou plus. Pour ces derniers, on leur préférera des pilotes linéaires hydrauliques, capables d'exercer plus de force sur le gouvernail, ainsi que de plus grandes banques de batteries. Les pilotes hydrauliques sont idéaux pour des bateaux dotés d'un circuit hydraulique central. Pour les tout grands bateaux, on a intérêt à opter pour une pompe hydraulique qui fonctionne en continu.

La vitesse à laquelle l'autopilote doit fonctionner pour être en mesure de maintenir le cap de consigne doit être calculée. Pour les yachts de croisières longues distances à quille longue, on optera pour un pilote puissant, même s'il est plus lent, puisqu'une rotation du gouvernail de 5 à 6°/seconde (sans contrainte) est généralement suffisante. Un bateau léger de 30 ft à fine quille et gouvernail compensé a besoin d'environ 15-20° (sans contrainte), mais la force qui doit être exercée sur le gouvernail ne sera jamais très élevée.

Pour calculer les besoins de leur bateau, les propriétaires de yachts préfèrent généralement s'en remettre au constructeur. Les constructeurs qui offrent ce service ont souvent un avantage sur la concurrence, en ce sens que cette aide contribue indéniablement à la fidélisation du client. Pour le propriétaire d'un bateau à moteur qui utilise rarement son bateau au-delà de ses capacités mécaniques, une erreur de jugement au stade décisionnel sera tout au plus source de frustration et de contrariété. Mais pour un navigateur de haute mer, cette même erreur de jugement peut avoir des conséquences désastreuses puisqu'il sera obligé de tenir la barre jour et nuit, sans le moindre répit.

Un dernier aspect important dont vous devez tenir compte lors de l'achat d'un autopilote, sous peine de le regretter amèrement par la suite, est le confort sous le pont. Un pilote bruyant peut rendre la cabine la plus agréable carrément invivable.

⚓4⚓
Régulateurs d'allure

Les régulateurs d'allure reçoivent leur impulsion de guidage de l'angle du vent apparent. L'avantage de ce système sur un bateau à voiles est que son allure est dictée par sa position par rapport au vent apparent. Une fois que les voiles et la girouette sont bien orientées par rapport au vent, le bateau maintiendra cet angle indéfiniment et il ne faudra plus toucher aux voiles.

Lorsqu'on a l'intention de prendre la mer dans quel but que ce soit, l'aspect principal dont il faut tenir compte est la direction du vent. Lorsqu'on navigue vent arrière, il a moyen d'aller de A à B par la route la plus courte dans le lit du vent. Lorsqu'on navigue vent debout, il faut tirer des bordées et naviguer au compas n'a aucun sens ; la route la plus directe n'est pas la plus rapide quand les voiles sont à contre.

Un régulateur d'allure se compose en grandes lignes d'une girouette (ou aérien), d'un système de transmission et d'un safran (ou pale immergée).

La girouette

La girouette fournit l'impulsion de guidage destinée au régulateur d'allure. Cette girouette emprunte son énergie au vent apparent qui balaie sa surface d'après son inclinaison. Il existe deux types de girouettes : la girouette verticale et la girouette horizontale.

La girouette verticale

Fonctionnement

La girouette verticale pivote sur un axe vertical (selon le même principe qu'une girouette classique). Comme elle s'oriente toujours au vent, son aérien se soustrait en grande partie à l'emprise du vent. Quand le bateau s'écarte de sa route, l'angle de rotation de la girouette n'est jamais supérieur à celui de la déviation du bateau. L'impulsion de guidage générée par cette rotation ne peut se traduire que par une force de réaction limitée, vu le faible couple de ce type de girouette.

Réglage

Puisqu'elle tourne librement et pointe dans le vent, cette girouette se passe de tout réglage sophistiqué. L'unique réglage consiste à allonger ou raccourcir en fonction de la force du vent le mât sur lequel elle est fixée. Par temps calme, on a intérêt à allonger ce mât pour gagner en puissance et par gros temps, lorsque cette puissance ne pose aucun problème, de le raccourcir pour réduire les vibrations.

Forme

Le flux d'air qui balaie une girouette verticale est toujours laminaire. Les girouettes aérodynamiques ou en forme de cale sont donc les plus efficaces. Or, elles sont tellement lourdes, complexes et onéreuses que la plupart des constructeurs leur préfèrent des modèles plats, plus simples, légers et bon marché.

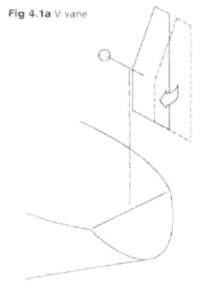

Fig 4.1a V vane

Girouette verticale

Régulateur d'allure Windpilot
Atlantik à safran auxiliaire et
girouette verticale

Dimensions de l'aérien

Girouette verticale en forme de cale
Saye's Rig

Pour être en mesure de fournir les impulsions et la force de guidage requises, les girouettes verticales doivent être relativement grandes (jusqu'à $1 m^2$ / $10 \frac{1}{2} ft^2$). En raison de ces dimensions et du cercle qu'elles décrivent en pivotant, elles prennent tellement de place sur le tableau que nombre d'éléments fixes tels que les pataras, bômes d'artimon et bossoirs risquent d'être dans le chemin.

Contrepoids

En raison de sa taille et de son poids considérables, une girouette verticale doit être équilibrée à l'aide d'un contrepoids. Cet équilibrage est particulièrement important par temps calme pour empêcher que les impulsions de guidage ne soient générées par l'angle d'inclinaison du bateau. Il l'est moins par gros temps lorsque la girouette se redresse contre son mât, car les vents sont assez puissants que pour neutraliser les fausses impulsions de guidage dues aux mouvements du bateau.

Disponibilité

Les régulateurs d'allure Halser, RVG, Saye's Rig, Schwingpilot, Windpilot Atlantik/ Caribik sont tous équipés de girouettes verticales.

La girouette horizontale

Fonctionnement

La girouette horizontale pivote sur un axe horizontal et se redresse dès qu'elle s'oriente dans le lit du vent. Quand le vent la frappe de côté et que le bateau s'écarte de son cap, la girouette s'abaisse. Ce type de girouette se distingue par le fait que, lorsque le bateau dévie de sa route, c'est toute la surface de son aérien qui est frappée par le vent et non pas uniquement son bord d'attaque. Autrement dit, elle offre une meilleure prise au vent. Les girouettes horizontales sembleraient être de ce fait 5,6 fois plus efficaces que les girouettes verticales.

Réglage

La plupart des girouettes horizontales ont un angle d'inclinaison réglable en avant et en arrière. La position verticale – position dans laquelle la girouette offre une prise maximale au vent - est idéale par vent faible. Par vent plus fort, on a intérêt à l'incliner en arrière, hors du vent, pour amortir les embardées (brusques changements de direction du bateau) et épargner le régulateur d'allure.

Forme

Comme une girouette horizontale doit sa force au vent qui la frappe sur toute sa surface, on a intérêt à opter pour une girouette plate.

Pose et dépose

De nos jours, la plupart des girouettes horizontales consistent en un aérien en contreplaqué fixé sur un mât. Comme ce type de matériau n'est pas très résistant, la surface de contact entre l'aérien et le mât doit être suffisamment grande que pour parer à tout risque d'endommagement de l'aérien par vent fort. L'aérien doit être aussi facile à démonter. S'il ne l'est

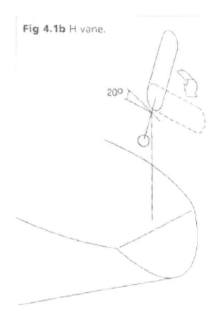

Fig 4.1b H vane.

pas, le navigateur paresseux sera tenté de ne jamais l'enlever, y compris dans le port, au risque que sa girouette s'use ou se brise, même lorsqu'elle est hors d'usage. C'est vrai que le fait de devoir démonter tout le dispositif de verrouillage pour dégager l'aérien, comme c'est le cas des régulateurs d'allure Aries, a de quoi décourager même le navigateur le mieux intentionné. La girouette du régulateur d'allure Sailomat 601 est emboîtée dans un tube en aluminium verrouillable – un système qui offre une très faible surface de contact entre l'aérien et le mât. Celle des régulateurs d'allure Monitor est boulonnée. Le mât du système Windpilot Pacific offre non seulement une grande surface de contact, mais est aussi dotée d'un système de (dé)montage rapide.

Régulateur d'allure Windpilot Pacific Plus à double safran et girouette horizontale

Contrepoids

Une girouette horizontale doit être soigneusement équilibrée à l'aide d'un contrepoids visant à neutraliser les fausses impulsions de guidage dues aux mouvements du bateau. Concrètement, cela signifie que ce contrepoids doit être légèrement plus lourd (de 10 à 30 g) que la girouette qu'il est censé équilibrer. Certains navigateurs équipent le contrepoids de leur régulateur d'allure à safran pendulaire assisté de bandes de caoutchouc permettant à la girouette de se remettre plus facilement en position neutre. Cette mesure peut compenser l'inertie de la longue bielle, mais n'accroît en rien la sensibilité du système.

Dimensions de l'aérien

La girouette horizontale étant plus efficace, son aérien peut être nettement plus petit que celui d'une girouette verticale. Il y a moyen de changer d'aérien en fonction de la force du vent, à condition de changer de contrepoids par la même occasion. Les safrans pendulaires assistés actuels sont cependant assez sensibles pour que l'on puisse utiliser le même aérien par tous les temps. La plupart des fabricants préconisent une girouette horizontale de $0,17\ \text{m}^2$ pour les systèmes à safran pendulaire assisté et de $0,25\ \text{m}^2$ pour les systèmes à safran auxiliaire.

Dans le cas des girouettes horizontales, le contreplaqué présente divers avantages. Il est léger, bon marché et robuste et les aériens en contreplaqué peuvent être aisément remplacés à l'aide d'outils simples que tout navigateur a à bord. Préparez-vous à devoir remplacer l'aérien. Pesez-le et notez son poids, car vous devrez le remplacer par un aérien de poids identique. S'il est trop lourd, vous pouvez l'alléger en en sciant tout simplement un morceau. Si vous avez opté pour un aérien de plus grandes dimensions – idéal par temps calme – vous pouvez l'alléger en le perçant de grands trous sur lesquels il vous suffira de tendre un morceau de toile à voile.

Conseil : Un morceau de toile à voile (d'environ 2.5 x 80 cm) fixé dans la partie haute de la face arrière de l'aérien fait des miracles par temps calme. Son flottement amplifie les mouvements de l'aérien en contreplaqué qui, par temps calme, est plutôt léthargique.

Les girouettes horizontales offrent généralement moins de prise au vent. Elles sont faciles à manipuler et à démonter et sont relativement peu encombrantes. Elles sont parfaitement compatibles avec des gréements de type yawl et ketch et sont rarement gênantes, même en présence de bossoirs.

Une bande de toile à voile fixée sur l'aérien fait des miracles par temps calme.

Le système de transmission

L'impulsion de guidage en provenance d'une girouette est transmise mécaniquement au safran. Cette transmission varie selon le type de régulateur d'allure et peut consister en une série de bielles, leviers, drosses ou câbles blindés, engrenages coniques ou roues dentés. Nous reparlerons plus loin de ces différents types de transmission et de leur fonctionnement respectif.

Le safran

Le safran auxiliaire ou pendulaire d'un régulateur d'allure corrige le cap du bateau
a. soit directement (système à safran auxiliaire)
b. soit indirectement (systèmes à safran pendulaire assisté et à double safran)

Dans le second cas, la girouette agit sur le safran pendulaire qui, à son tour, agit sur le safran principal qui assure la correction de cap.

Le safran auxiliaire

Le safran auxiliaire fonctionne indépendamment du safran principal. Les pales des safrans auxiliaires peuvent avoir une taille allant jusqu'à 0,27 m² / 3 ft². Le rapport de taille entre la pale du safran principal et celle du safran auxiliaire ne peut être supérieur à 3:1. N'oubliez pas que le safran principal doit être suffisamment grand que pour guider le bateau, même lorsque vous naviguez au moteur. Le safran auxiliaire, par contre, peut être plus petit, puisque qu'il est uniquement appelé à apporter de petites corrections et n'a pas l'ambition de diriger le bateau comme le safran principal.

Le rapport de taille optimal entre la pale du safran principal et celle du safran auxiliaire est de 3:1.

Le safran pendulaire

En se déplaçant latéralement, le safran pendulaire génère des forces qui sont transmises au safran principal. Ces forces dépendent de la distance entre le pivot du bras et l'extrémité inférieure du safran pendulaire. Cette distance qualifiée de PL (longueur du levier de puissance) est généralement de 150 à 200 cm. Les pales des safrans pendulaires ont une taille d'environ 0,1 m².

Rapport de taille safran pendulaire
/safran principal. L'effet de levier
est le nerf de ce système.
Le flettner

En pivotant, le flettner modifie l'orientation du safran sur lequel il est monté. Les flettners mesurent généralement moins de 0,08 m² / 0,85 ft² et se fixent sur le safran principal, auxiliaire ou pendulaire.

Compensation du gouvernail

Grâce à cette compensation, qui consiste à incliner la mèche du gouvernail de 20° en arrière, ce dernier a besoin de moins de force pour pivoter. L'effet est le même que celui d'une contrainte soudaine sur la barre franche quand le gouvernail d'un dériveur se relève après avoir touché le fond. Dès que le gouvernail s'abaisse à la verticale, l'équilibre est restauré et la contrainte exercée sur la barre franche disparaît.

La plupart des yachts modernes ont un gouvernail précompensé : une bonne chose pour les régulateurs d'allure, tous types confondus, car plus le gouvernail pivote facilement, moins l'impulsion de guidage en provenance de la girouette devra être forte et plus le régulateur d'allure sera performant par temps calme.

Si le gouvernail est surcompensé (mèche inclinée sous un angle de 22 à 25°), la pale immergée sera perturbée et aura tendance à dévier. Dans le pire des cas, c'est la pale immergée qui fera tourner la girouette plutôt que vice versa.

Rapport de taille flettner/ safran principal : ce système peut gêner la marche arrière au moteur.

Amortissement

Une des premières choses que tout navigateur en herbe apprend, c'est de ne pas agir brutalement sur la barre. Tout coup de barre intempestif en vue de redresser le bateau risque d'avoir l'effet contraire. Le bateau survire, nécessite du coup une correction dans l'autre sens et se met à zigzaguer.

Un skipper chevronné, qui est parfaitement familiarisé avec le comportement d'un bateau, intervient le moins possible sur la barre, tout en tenant constamment à l'esprit le but qu'il s'est fixé :

1. Soit il veut arriver le plus rapidement possible à destination en profitant le plus possible du vent et en s'écartant le moins possible de sa route. Dans ce cas, il devra, en navigateur averti, faire preuve d'une grande concentration, tenir constamment à l'œil l'indicateur de direction du vent, les voiles et le compas, et donner constamment des petits coups de barre, alternés avec de plus amples, pour éviter les embardées et les écarts de cap.

2. Soit il préfère naviguer à l'aise. Dans ce cas, il se contentera de rectifier de temps en temps le cap en donnant de petits coups de barre, tout en sachant que dans de telles conditions, le bateau s'écartera davantage de sa route.

Le temps de réaction d'un bateau dépend avant tout de sa configuration. Ainsi, un bateau à quille longue réagira plus lentement qu'un bateau doté une fine quille et d'un gouvernail compensé.

Les skippers expérimentés dressent un "schéma d'amortissement" interne qui leur permet, sans devoir constamment réfléchir, d'épargner leur gouvernail. Chaque mouvement du gouvernail a également pour effet de freiner le bateau. Moins on l'utilise, moins la vitesse du bateau sera donc compromise.

Un régulateur d'allure n'a pas cette expérience. À moins d'être amorti, il agira donc trop brutalement et trop longtemps sur le gouvernail, provoquant un problème de survirage.

Cet amortissement est donc conçu pour brider son impétuosité et lui donner un "doigté" égal, voire supérieur, à celui de notre skipper expérimenté.

Lorsque vous choisissez une solution d'amortissement, laissez-vous guider par ces trois principes :

Principe n° 1 : Plus il est amorti, plus le régulateur d'allure agira en douceur et avec précision. Il est cependant clair qu'il ne peut pas être amorti au point d'être complètement paralysé. Concevoir un système qui soit parfaitement équilibré, tel est donc le défi de tout constructeur. Ces systèmes doivent être puissants, mais cette puissance doit pouvoir être dosée.

Principe n° 2 : Moins le système est amorti, plus le skipper devra intervenir pour en combler les lacunes. Non seulement il devra veiller à ce que les voiles soient toujours parfaitement réglées, mais il devra également réduire prématurément la toile pour que le régulateur d'allure soit moins sollicité. Les régulateurs qui ne sont pas assez amortis ont du mal à composer avec les vents arrière et perdent tout contrôle lorsque les éléments se déchaînent.

Principe n° 3 : En l'absence de tout amortissement, le régulateur d'allure ne fonctionnera que dans la mesure où les voiles et leur surface sont impeccablement réglées, permettant au bateau de naviguer droit de lui-même. Le régulateur d'allure fonctionnera, mais dans ce cas à quoi bon, puisqu'il n'aura pas à intervenir... Un régulateur d'allure dépourvu de tout système d'amortissement ne fonctionnera correctement que sous certains angles du vent et serviront tout au plus à faciliter le pilotage.

Un régulateur d'allure bien équilibré est synonyme de performances optimales dans toutes les conditions de navigation et par tous les temps. Un régulateur d'allure de ce type est en effet plus performant que le skipper le plus vigilant pour la bonne raison qu'il amortit en permanence les mouvements du gouvernail, ce qui réduit l'angle d'embardée, et qu'en association avec la girouette, il est garant d'un pilotage optimal en respect de la direction du vent. Un tel régulateur d'allure peut être considéré comme étant un outil de pilotage fiable.

Le terme "effective steering" (performance de pilotage) est utilisé pour indiquer la classe de performance d'un régulateur d'allure. À quoi sert un régulateur d'allure qui ne peut gérer que 70% des conditions atmosphériques ou de la course s'il déclare forfait juste au moment où le pilotage manuel est le moins attrayant, c.-à-d. par mauvais temps !

Qui espère tirer des performances satisfaisantes d'un régulateur d'allure mal amorti aura le double de travail. Il est parfois préférable de piloter manuellement plutôt que de s'esquinter à combler ses lacunes.

Cet amortissement peut voir lieu :
? au niveau de la girouette
? au niveau du système de transmission
? au niveau du gouvernail

Amortissement au niveau de la girouette

Girouette verticale :

Plus que sous l'effet du vent, la girouette verticale – qui pivote sur un axe vertical (selon le principe de la girouette traditionnelle) – s'oriente en fonction de l'angle de déviation du bateau. Cette caractéristique doublée du fait que l'aérien prend le vent des deux côtés, contribue à un haut niveau d'amortissement.

Girouette horizontale :

Une girouette horizontale – qui pivote sur un axe horizontal – est fortement sujette au vent. Dans certains cas, celui-ci peut la faire pivoter sur plus de 90° avec le risque qu'elle heurte ses butées latérales. Le vent n'agit que sur un seul côté de l'aérien et l'angle de rotation est davantage dicté par la force que par l'angle du vent. Cela se traduit par un faible amortissement, car l'aérien ne se remettra en place qu'au moment où le bateau est à nouveau sur le droit chemin et que le vent est à nouveau capable de le soulever. De ce fait, la girouette continue à donner des impulsions pendant trop longtemps et est amortie trop tard. Lorsqu'on incline l'axe horizontal, c.-à-d. le rapproche de l'axe vertical, le système est moins sensible. Le signal de correction de cap perd de son ampleur du fait que le vent atteint plus rapidement le côté sous le vent de l'aérien, ralentissant sa rotation.

Marcel Gianoli, un des pionniers dont nous avons déjà parlé, a constaté que l'angle d'inclinaison optimal de l'axe horizontal est de 20 degrés. Cette constatation a été d'un apport précieux pour le développement des régulateurs d'allure.

Caractéristiques des trois types de girouette

	Girouette horizontale	Girouette verticale	Girouette horizontale, 20 degrés
Force	grande	faible	moyenne
Course	grande	petite	moyenne
Position au vent	instable	stable	moyennement stable
Encombrement / angle de rotation	grand	petit	moyen
Sensibilité	haute	faible	moyenne
Amortissement	faible	grand	moyen

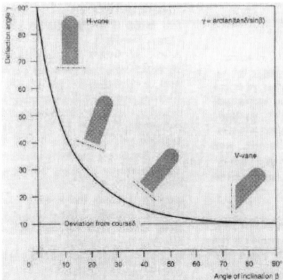

Fig 4.1 Une girouette horizontale qui tourne sur un axe parfaitement horizontal doit parfois pivoter

de 90° avant que le vent n'atteigne l'autre coté de l'aérien pour freiner ou amortir le mouvement latéral. L'impulsion de guidage est trop puissante.
Une girouette verticale qui tourne sur un axe vertical ne peut pas pivoter de plus de 10° (= angle de déviation du bateau). L'impulsion de guidage est trop faible.
Une girouette horizontale qui tourne sur un axe présentant une inclinaison de 20° est garante à la fois d'un bon signal et d'un bon amortissement.

La plupart des girouettes horizontales sont montées :
1. soit sur un mât qui a un angle d'inclinaison fixe de 20? (Atoms, Fleming, Monitor, Mustafa, Navik, Cap Horn, Sailomat)
2. soit sur un mât dont l'inclinaison peut être réglée librement en fonction de la force du vent : plus à la verticale par vent faible et plus fortement incliné par vent fort (Aries, BWS, Hydrovane, Windpilot Pacific). L'inclinaison de l'aérien se répercute sur sa prise au vent. C'est ainsi que par temps calme, un aérien vertical donnera un signal plus puissant dû au PL plus long, et un aérien davantage incliné à l'arrière un signal plus faible dû au PL plus court. Plus l'aérien est incliné en arrière, moins il offrira de prise au vent.

Amortissement au niveau du système de transmission

L'impulsion de guidage en provenance de la girouette est convertie, via un système de transmission à engrenages ou à bielle, en un déplacement latéral du safran.

Amortissement ou réglage manuel :

1 Safran auxiliaire avec girouette verticale
Aucune mesure particulière ne doit être prise car l'amortissement inhérent à la girouette verticale est suffisant. La force de guidage peut donc être transmise par un système d'engrenages cylindriques ou de roues dentées 1:1 (Windpilot Atlantik/Caribik).

2 Safran auxiliaire avec girouette horizontale
Essentiel car l'angle du safran déterminé par la girouette dépend plus de la force que de l'angle du vent. Si le vent est trop fort, le bateau risque donc de survirer. Par gros temps, l'angle du safran peut être réduit manuellement en agissant sur la boîte d'engrenages de transfert pour réduire la puissance de la girouette horizontale (Hydrovane).

3 Flettner
Souhaitable mais compliqué car les signaux doivent être transmis à un arbre supplémentaire, plus éloigné (celui du flettner). Les forces de redressement générées par le safran auxiliaire ou principal sur lequel le flettner est fixé assurent d'habitude un amortissement suffisant. L'ajustement manuel du signal en provenance de la girouette facilite le réglage du système (BWS).

4 Safran pendulaire assisté
(cf. Chapitre 5 : Amortissement des embardées)
L'amortissement est assuré par un engrenage conique avec un facteur de réduction de 2:1. Ce type d'amortissement est qualifié d'automatique, car chaque impulsion de guidage agit sur

le bras de transmission du pendulum d'une façon telle que ce dernier se repositionne dans l'axe central du bateau (Aries, Monitor, Fleming, Windpilot Pacific). Il y a quatre configurations possibles :

- ? Engrenage conique à secteur denté
  Ce type d'engrenage a un rayon d'action qui se limite à la plage située entre les deux tubes dans lesquels coulissent les drosses, montés de part et d'autre de la partie basse du régulateur d'allure. Il limite la course latérale du bras de transmission du pendulum, l'empêchant de se redresser (Aries, Monitor, Fleming).
- ? Engrenage conique 360°
  Cet engrenage complet dont les roues tournent sur 270 degrés, permet au bras de transmission du pendulum de se redresser latéralement hors de l'eau (Windpilot Pacific). Actuellement, la plupart des systèmes à safran pendulaire assisté sont équipés d'office d'engrenages coniques avec un facteur de réduction de 2:1 (Aries, Monitor, Windpilot Pacific). Cette transmission 2:1 multiplie par deux la puissance de l'impulsion de guidage et réduit de moitié la course du bras de transmission du pendulum.
- ? Autres dispositifs mécaniques permettant de contrôler le mouvement du safran pendulaire (Cap Horn, ATOMS).
- ? Systèmes dont les organes d'accouplement n'ont aucun effet amortissant.

5. Systèmes à double safran
Ces systèmes dépendent de l'amortissement du système à safran pendulaire assisté intégré. Il faut faire une distinction entre :

- ? les systèmes à safran pendulaire assisté avec transmission automatique à engrenages coniques qui amortit les embardées et incline la mèche du safran pendulaire de 10° en arrière, doublé de l'amortissement inhérent au safran auxiliaire (Windpilot Pacific Plus) ;
- ? les systèmes à safran pendulaire assisté dont l'amortissement résulte du fait que la mèche du safran pendulaire est inclinée de 34? en arrière, doublé de l'effet d'amortissement naturel du safran auxiliaire (Steger/Sailomat 3040).

Amortissement au niveau du gouvernail

1 Safran auxiliaire :
Les safrans auxiliaires, qui guident directement le bateau, sont amortis par la pression de l'eau.

2 Safran pendulaire :
En inclinant la mèche du safran pendulaire en arrière, on obtient un amortissement sous l'effet de l'eau, similaire à celui d'une girouette horizontale sous l'effet de l'air. Un safran pendulaire dont la mèche est inclinée n'a pas une grande liberté de manœuvre puisqu'il ne tarde pas à être repoussé par la force de l'eau.

Vous avez le choix entre :

- ? une mèche verticale et un engrenage conique (Aries, Monitor, Fleming) ;
- ? une mèche inclinée sous un angle de 34° assurant l'amortissement et pas d'engrenage conique. Ces systèmes nécessitent un réglage manuel de la girouette afin que l'impulsion de guidage qu'elle émet soit proportionnelle au déplacement latéral du safran pendulaire (Sailomat 601) ;
- ? un engrenage conique et une mèche inclinée de 10° (Windpilot Pacific).

3 Double safran :

Cf. paragraphe précédent.

Avec un régulateur d'allure correctement amorti, le safran ne se déplacera pas plus qu'il ne faut, parant ainsi à tout risque de survirage. Grâce au feedback entre la position du safran et celle de la girouette, la pression de guidage n'augmentera que tant que la girouette indiquera que le bateau a commencé à réagir et à effectuer une correction de cap. Dès que la girouette commence à se redresser à la verticale, le safran pendulaire relâche la pression qu'il exerce sur le safran principal et se remet au centre.

Cela paraît compliqué sur papier mais, heureusement, il ne faut pas nécessairement être ingénieur pour en apprécier les avantages. Par ailleurs, un régulateur d'allure dûment amorti en dit long sur le réglage des voiles. Si vous avez l'impression qu'il est mal centré et qu'il réagit toujours du même côté, vous pouvez être sûr qu'il a quelque chose qui cloche au niveau des voiles.

Tôt ou tard, chaque équipage se rendra compte de l'intérêt de ces conseils : corriger le réglage des voiles ou ajuster le safran principal pour soulager le safran pendulaire a pour effet non seulement de soulager le régulateur d'allure, mais aussi d'augmenter la vitesse du bateau. Les transmissions à engrenages coniques exercent sur le safran principal une pression qui augmente progressivement jusqu'à ce que la girouette réagisse, ramenant le bras de transmission du pendulum au centre et empêchant tout survirage.

Si le régulateur d'allure n'est pas dûment amorti, l'équipage devra être très vigilant, surtout lorsque le vent change constamment de direction ou s'amplifie. Il faudra lui prêter main forte en arisant à temps les voiles et en raidissant la grand'voile. Composer avec un tel système est très éprouvant, surtout pour quelqu'un qui n'est pas parfaitement familiarisé avec le fonctionnement d'un système de pilotage assisté. Un tel système n'est pas à 100% fiable.

✦ 5 ✦
Types de systèmes

Systèmes uniquement équipés d'une girouette

L'impulsion de guidage et la puissance de pilotage générées par la girouette sont directement transmises à la barre franche par le biais de drosses et ce, en l'absence de tout safran auxiliaire ou assisté.

Impulsion de guidage	=	vent
Puissance de Pilotage	=	vent
Guidage	=	safran principal
Longueur du levier de puissance (PL)	=	0 cm

Ce type de système a été initialement conçu pour des yachts miniatures. Il n'est pas très efficace et ne développe pas assez de force que pour guider un voilier dans n'importe quelles circonstances.

Le premier régulateur d'allure que Francis Chichester a installé à bord de son *Miranda* consistait uniquement en une girouette de 4 m^2/43 ft^2 et un contrepoids de 12 kg/26 ½ lb. Ce système n'était pas très performant car, comme nous le disions, il était incapable de générer une puissance de pilotage suffisante pour agir réellement sur la barre franche.

Les systèmes uniquement équipés d'une girouette peuvent être montés sur des petits bateaux (jusqu'à 6 m) où ils peuvent être utiles quand on navigue près du vent. Lorsqu'on navigue allures portantes, quel que soit l'état de la mer, les forces générées par la girouette sont insuffisantes.

Systèmes uniquement équipés d'une girouette : QME, Nordsee I

Ces systèmes ne sont plus fabriqués depuis des années. Si nous les mentionnons, ce n'est donc que dans un pur souci d'exhaustivité.

Systèmes à safran auxiliaire

Un système à safran auxiliaire est un système moyennement performant qui guide le bateau indépendamment du safran principal. Via un système de transmission, la girouette agit sur le safran qui pivote sur un bras rigide, jusqu'à ce que le bateau suive à nouveau la route requise.

Impulsion de guidage	=	*vent*
Puissance de pilotage	=	*vent*

Guidage	=	safran auxiliaire
Longueur du levier de puissance (PL)	=	0 cm

Le safran principal est fixe et sert à ajuster le régulateur. Il capte l'ardence du bateau, permettant au safran auxiliaire de se concentrer sur les corrections de cap. Les systèmes à safran auxiliaire ne sont efficaces que si le rapport entre la taille du safran principal et celle du safran auxiliaire n'excède pas 3:1. Ce rapport peut être aisément calculé sur la base des dimensions du safran principal sur lequel est monté le safran auxiliaire, telles que spécifiées dans la fiche technique.

La puissance de pilotage générée par les systèmes à safran auxiliaire est limitée par l'absence de toute amplification et donc insuffisante pour des bateaux de grande taille. Des systèmes à safran auxiliaire Nordsee et Atlantik de Windpilot ont été utilisés avec succès sur des bateaux jusqu'à 11 m/36 ft. Sur des bateaux de tailles supérieures, ils pouvaient tout au plus donner un coup de pouce à l'équipage. C'est pour cette raison que Windpilot a cessé de les fabriquer en 1985 et les a remplacés par d'autres systèmes.

Les systèmes à safran auxiliaire Hydrovane étaient recommandés pour des bateaux jusqu'à 15 m/50 ft. Ces systèmes étaient cependant moins performants qu'on ne le pensait du fait que leur force n'était pas amplifiée et que le rapport de taille safran auxiliaire/safran principal aurait été plutôt néfaste pour un grand bateau.

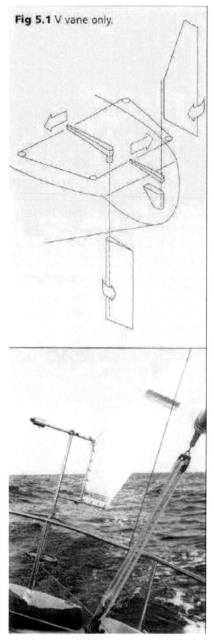

Fig 5.1 V vane only.

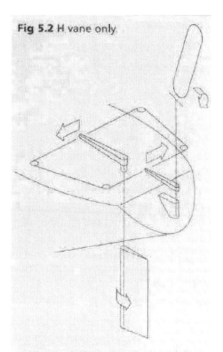

Fig 5.2 H vane only.

Système à girouette verticale à bord d'un bateau de 5m/16ft du designer Van de Stadt.

Système à girouette horizontale QME. Ce système est plus une solution d'appoint que de pilotage à part entière.

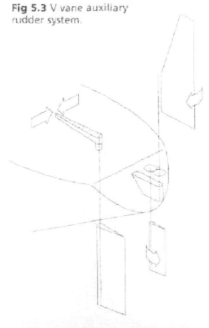

Fig 5.3 V vane auxiliary rudder system.

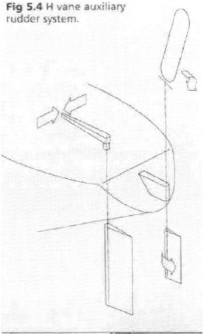

Fig 5.4 H vane auxiliary rudder system.

Ce système à safran auxiliaire Windpilot est idéal pour des bateaux jusqu'à 11 m/36 ft de longueur.

Le système à safran auxiliaire Hydrovane : la girouette horizontale génère plus de force qu'une girouette verticale Atlantik.

Performance de pilotage

Comme nous l'avons brièvement signalé au précédent chapitre, ce terme est utilisé pour indiquer si un régulateur d'allure est capable de piloter de façon fiable un bateau d'une certaine longueur dans n'importe quelles conditions atmosphériques ou si, dès que la force du vent, la houle et l'angle du vent apparent augmentent, on ne pourra plus l'utiliser que comme solution d'appoint. Quand on achète un régulateur d'allure, il est donc primordial de connaître ses capacités, car il n'y rien de plus frustrant qu'un régulateur d'allure qui ne s'acquitte pas convenablement de sa tâche.

La performance de pilotage d'un régulateur d'allure doit bien entendu être lue dans son contexte d'utilisation. Un régulateur qui ne s'avère fiable que lorsqu'on navigue près du vent a par exemple parfaitement sa place sur un bateau de plaisance dont on ne se sert que le week-end ou en vacances. La navigation hauturière pose d'autres exigences, car le pilotage manuel prolongé d'un bateau est épuisant pour un petit équipage et risque de mettre prématurément fin au voyage.

Différents systèmes à safran auxiliaire

Safran auxiliaire avec girouette verticale
La girouette verticale de ce système (type Atlantik) agit directement sur le safran auxiliaire par l'intermédiaire d'une transmission à engrenages 1:1. Ce système offre un bon amortissement et est conçu pour des bateaux jusqu'à 11 m/36 ft.

Safran auxiliaire avec girouette horizontale
Ce système (type Hydrovane) offre un moins bon amortissement que son équivalent à girouette verticale. Pour résoudre ce problème, il est doté d'un démultiplicateur à trois positions qui permet de régler la force de rotation qui est transmise au safran. Il a néanmoins une plus grande puissance de pilotage qu'un système à girouette verticale et peut être donc utilisé sur de plus grands bateaux.

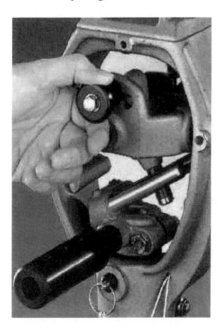

Transmission à démultiplicateur Hydrovane pour un meilleur amortissement

Les avantages des systèmes à safran auxiliaire

Comme le safran auxiliaire fonctionne indépendamment du safran principal, il peut très bien faire office de gouvernail de fortune. Ceci est un avantage en termes de sécurité, surtout sur les yachts modernes à fine quille dont le gouvernail compensé n'est pas protégé par un aileron. Le safran auxiliaire a pour autres avantages de contribuer à stabiliser le bateau et de capter son ardence.

Un système à safran auxiliaire est simple, robuste et donc très résistant. En fait, il ne risque d'être sérieusement endommagé que lorsque le bateau est embouti à l'arrière – et même alors, il faut se dire que c'est un mal pour un bien puisqu'ils protègent quelque part le tableau dont la réparation coûte nettement plus cher !

Comment s'y prendre ?
- ? mettre le bateau sur le bon cap
- ? immobiliser la barre franche
- ? orienter la girouette dans le lit du vent
- ? accoupler la girouette au safran auxiliaire,
- ? ajuster le cap en agissant sur le safran principal.

Les désavantages des systèmes à safran auxiliaire

On ne peut pas dire que les systèmes à safran auxiliaire soient particulièrement élégants. Ils sont hauts, volumineux et lourds et l'arrière d'un bateau – surtout lorsqu'il s'agit d'un bateau de petite taille – n'est pas l'endroit rêvé pour ajouter un poids de 30 à 45 kg/66 à 100 lb.

En l'absence de toute amplification, ces systèmes ont une puissance de pilotage limitée, insuffisante pour des bateaux de plus grande taille (cf. plus haut).

Lorsqu'il est hors d'usage, le safran auxiliaire se trouve généralement dans l'axe central du bateau. À cet endroit, il nuit à la manœuvrabilité du bateau et augmente son rayon de braquage. Curieusement, certains navigateurs considèrent ce désavantage comme un avantage. Grâce à cette pale supplémentaire située en aval du safran principal, le bateau à quille longue obéit mieux au gouvernail en marche arrière, car elle compense partiellement l'effet de l'hélice qui a tendance à faire dévier la poupe de côté.

Les systèmes à safran auxiliaire sont associés à de grandes girouettes qui s'avèrent gênantes sur bateaux à gréement ketch ou yawl dont la voile d'artimon est utilisée.

Installation

Les systèmes à safran auxiliaire peuvent être montés soit au centre du tableau, soit sur le côté lorsque le bateau est par exemple équipé d'une échelle de bain. Comme les Vikings l'ont découvert il y a des siècles, ce montage excentré n'a que très peu d'effets sur la performance de pilotage. C'est vrai que sur leurs bateaux, le gouvernail était toujours monté à tribord et la barre à bâbord.

Lorsque la mer est houleuse, le safran auxiliaire est soumis à des forces latérales considérables. C'est pourquoi il doit être solidement arrimé au tableau. Sur des tableaux en surplomb normalement inclinés, le régulateur d'allure doit prendre appui sur un bâti support en V. Sur des tableaux modernes inclinés en avant, une flasque suffit.

Pour bien faire, le safran auxiliaire doit être situé à au moins 20 à 30 cm/8 à 12 in en aval du safran principal (ceci peut poser un problème sur les bateaux modernes à tableau ouvert sur lesquels le gouvernail est situé fort en aval de la poupe). Si la distance entre le safran principal et le safran auxiliaire est inférieure, la pale immergée du safran auxiliaire sera aux prises avec les remous provoqués par le safran principal, l'empêchant de déployer la force requise et compromettant l'efficacité du système.

Montage excentré à côté d'une échelle de bain. Sur les bateaux vikings, le gouvernail était également excentré.

Sur des bateaux équipés d'un safran principal hors bord, un montage excentré n'est pratique que si la distance entre le safran principal et le safran auxiliaire est d'au moins 30 cm/12 in. Une telle distance nuit cependant à l'efficacité du système immergé, car en cas de gîte, une partie du safran auxiliaire émergera de l'eau.

Ce système BWS-Taurus aurait intérêt à reposer sur un bâti support en V.

Montage excentré à côté d'un gouvernail hors bord. L'écart latéral doit être de 30 cm/12 in.

Les systèmes à safran auxiliaire conviennent surtout pour des bateaux traditionnels à quille longue et grand tableau en surplomb. Sur des bateaux de ce type, le safran auxiliaire est tellement éloigné du safran principal qu'il en ressent à peine les désavantages (remous) et qu'il peut par conséquent donner le maximum de lui-même. Cette distance confère également au safran principal une grande puissance de levier.

Fabricants de régulateurs d'allure à safran auxiliaire :
Windpilot et Hydrovane.

Systèmes à safran auxiliaire doublé d'un flettner

Fonctionnement

L'impulsion de guidage générée par la girouette est transmise à un flettner monté sur le bord de fuite du safran auxiliaire. En pivotant dans un sens, le flettner agit sur le bord de fuite du safran auxiliaire, le poussant dans l'autre sens. Le mouvement du safran auxiliaire imprime la correction de cap. Le safran principal est immobilisé et sert au réglage fin, comme dans le cas d'un système à safran auxiliaire sans flettner.

Impulsion de guidage	=	*vent*
Puissance de pilotage	=	*eau*
Guidage	=	*safran auxiliaire*
Longueur du levier de puissance(PL)	=	*± 20 cm / 8 inch*

Les flettners sont très petits : leur taille est généralement de l'ordre de 20% de celle du safran auxiliaire.

La déviation de l'impulsion de guidage générée par la girouette vers un flettner présente deux avantages :

a. Vous pouvez opter pour une girouette de plus petite taille puisque le flettner sur lequel elle doit agir est nettement moins grand qu'un safran auxiliaire.
b. La distance entre la mèche du flettner et celle du safran auxiliaire crée un effet d'amplification qui confère à ce système une puissance de pilotage supérieure à celle d'un système à safran auxiliaire sans flettner. Le principe est le même que sur un avion où le flettner fixé sur le bord de fuite de l'aile guide l'appareil en agissant sur le volet.

Longueur du levier de puissance = force d'amplification :

L'effet d'amplification dépend de la distance entre la mèche du safran auxiliaire et celle du flettner. Comme la distance entre ces deux mèches est généralement de l'ordre de 20 cm/ 8 in, l'effet d'amplification de ce système s'avère être relativement faible. Il peut être cependant légèrement renforcé en compensant le safran mais, même alors, la puissance de pilotage maximale ne sera jamais très élevée du fait que le flettner n'est pas en mesure de faire pivoter le safran auxiliaire de plus de 10%.

L'invention du système à flettner représente un sérieux pas en avant dans le développement des régulateurs d'allure. La présence de ce flettner qui amplifie la puissance générée par la girouette a permis d'obtenir des puissances de pilotage accrues avec des girouettes moins grandes. Aujourd'hui, ce type de régulateur d'allure est dépassé car, comme nous le verrons plus loin, la technologie dans ce domaine a encore fait d'énormes progrès depuis.

Avantages et désavantages

Avantages :

-   peut être combiné avec une girouette moins encombrante, tout en obtenant une puissance de pilotage légèrement supérieure ;
-   fonctionne indépendamment du safran principal ;
-   peut servir de gouvernail de fortune ;

- mêmes avantages que les systèmes à safran auxiliaire sans flettner.

Désavantages :
- plus grands, encombrants et lourds que les systèmes à safran auxiliaire sans flettner
- gêne les manœuvres au moteur
- un safran auxiliaire doublé d'un flettner reste difficilement en place et risque d'être gênant lors de marches arrière au moteur
- difficilement combinable avec un dispositif d'amortissement des embardées.

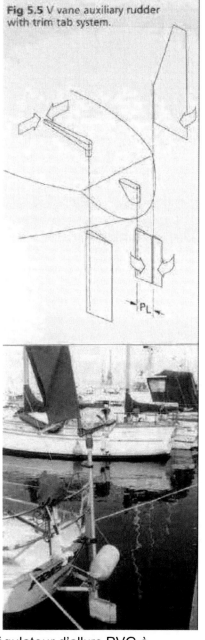

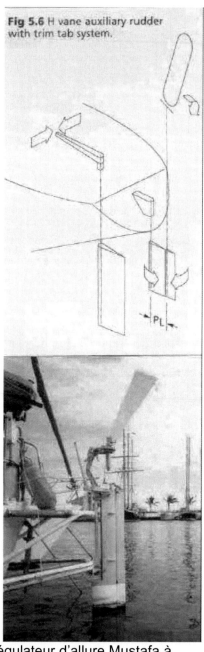

Régulateur d'allure RVG à girouette verticale et safran

Régulateur d'allure Mustafa à girouette horizontale et safran auxiliaire doublé d'un flettner, monté sur un Sy en fibres de verre de 10 m/33 ft, amarré à Palma de Mallorca.

auxiliaire doublé d'un flettner : une véritable pièce de musée !

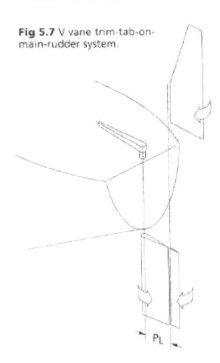

Fig 5.7 V vane trim-tab-on-main-rudder system.

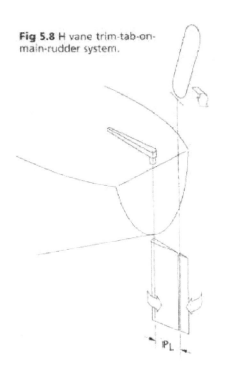

Fig 5.8 H vane trim-tab-on-main-rudder system.

Régulateur d'allure à girouette verticale et safran principal doublé d'un flettner, spécialement conçu pour un bateau de 10m/32 ft dessiné par Olle Enderlein.

Régulateur d'allure Windpilot Pacific à girouette horizontale et safran principal doublé d'un flettner, spécialement conçu pour un Kaskelot danois.

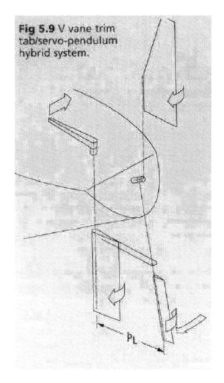

Fig 5.9 V vane trim tab/servo-pendulum hybrid system.

Fig 5.10 Saye's Rig V vane trim tab/servo-pendulum hybrid system; the longer lever gives extra power.

Installation

Les régulateurs d'allure à safran auxiliaire doublé d'un flettner doivent être montés au centre du tableau. Ce système et le tableau pouvant être tous deux soumis à de sérieuses contraintes par forte houle, il y a lieu de prévoir un bâti support robuste, capable de supporter le poids considérable de ce système. Les régulateurs à girouette verticale ont un rayon de rotation relativement large. Sur des voiliers à gréement ketch ou yawl, on leur préférera donc un régulateur à girouette horizontale, qui ne risque pas de heurter la bôme de l'artimon.

Fabricants de régulateurs d'allure à safran auxiliaire doublé d'un flettner :
Girouette verticale : RVG,
Girouette horizontale : Autohelm, BWS Taurus, Mustafa.

Systèmes à safran principal doublé d'un flettner

Fonctionnement

Le flettner est monté sur le bord de fuite du safran principal sur lequel il agit directement.

Impulsion de guidage	=	*vent*
Puissance de pilotage	=	*eau*
Guidage	=	*safran principal*
Longueur du levier de puissance (PL)	=	*30 - 50 cm / 12 - 20 inch*

Très populaire au début de l'ère des régulateurs d'allure, ce système donnait d'excellents résultats sur des bateaux à quille longue et gouvernail hors bord et pouvait être également monté sur des DIY. Bernard Moitessier avait équipé son *Joshua* d'un régulateur d'allure à flettner très rudimentaire. Le flettner était monté sur le bord de fuite du safran principal dont l'axe s'inscrivait dans la prolongation de celui de la girouette.

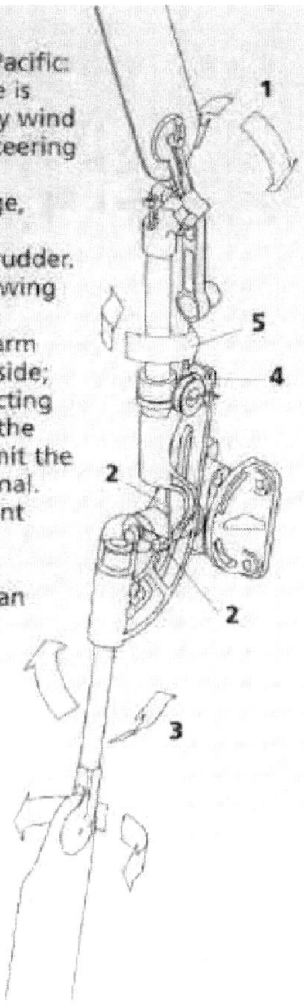

N'étant pas conçus pour amortir les embardées ni empêcher les survirages, les systèmes de ce genre n'ont en fait leur place que sur des bateaux parfaitement équilibrés. Le réglage doit être impeccable pour pouvoir piloter le bateau en douceur et avec précision. Cela signifie que dans certaines circonstances, il faut réduire sérieusement la surface de toile pour permettre au système de pilotage de maintenir plus ou moins le cap.

L'absence d'amortissement des embardées sur les régulateurs de ce type donne bien du fil à retordre. C'est pourquoi, même en France où ils étaient très en vogue, ces régulateurs d'allure ont été progressivement remplacés par régulateurs modernes à safran pendulaire assisté.

Un système à safran principal doublé d'un flettner présente de nombreux inconvénients : il est difficilement conciliable avec un système d'amortissement des embardées, le flettner pose des problèmes lorsqu'on navigue au moteur et ce système ne se prête pas à une production en série du fait que les paramètres majeurs diffèrent trop de bateau à bateau. Un safran principal qui doit être réalisé sur mesure, demande un flettner à l'avenant. Ce système a presque complètement disparu de nos jours.

Fig 5.11
Windpilot Pacific:
1 Windvane is deflected by wind and gives steering signal.
2 Via linkage, it turns the pendulum rudder.
3 Water flowing past pushes pendulum arm out to one side; lines connecting the arm to the helm transmit the steering signal.
4 Attachment of lines.
5 The vane mounting can be rotated through a full 360°.

Fabricants de régulateurs d'allure à safran principal doublé d'un flettner :
Atlas, Auto-Steer, Hasler, Saye's Rig, Windpilot

Le Saye's Rig est un régulateur d'allure à safran pendulaire doublé d'un flettner dont le PL est accru par la présence d'un bras monté directement sur le safran principal.

Systèmes à safran pendulaire assisté

Ce système étant le plus populaire à l'heure actuelle, il nous paraît logique de lui consacrer un vaste chapitre dans lequel nous prendrons sous la loupe ses différents composants.

Fonctionnement

La girouette agit sur le safran par le biais d'une transmission. Le safran est monté sur un bras qui oscille comme le balancier d'une pendule (d'où son nom de bras de transmission du pendulum). Lorsque la girouette agit sur le safran, le bras de transmission du pendulum se déplace latéralement sous la pression de l'eau. Le bras oscillant sur lequel le safran pendulaire est monté est raccordé à la barre franche (ou à la barre à roue) par des drosses. Le déplacement latéral du safran est ainsi transposé en une force de poussée sur la barre franche (ou de rotation sur la barre à roue) qui corrige le cap. Une fois que le bateau est à nouveau sur le droit chemin, le safran pendulaire se remet à la verticale sous l'effet de la girouette.

Impulsion de guidage	*=*	*vent*
Puissance de pilotage	*=*	*eau*
Guidage	*=*	*safran principal*
Longueur du levier de puissance (PL)	*=*	*jusqu'à 200 cm/80 inch*

Le système à safran pendulaire assisté a un PL nettement supérieur à celui des autres systèmes. Ce PL est synonyme d'une grande amplification et donc d'une excellente performance de pilotage.

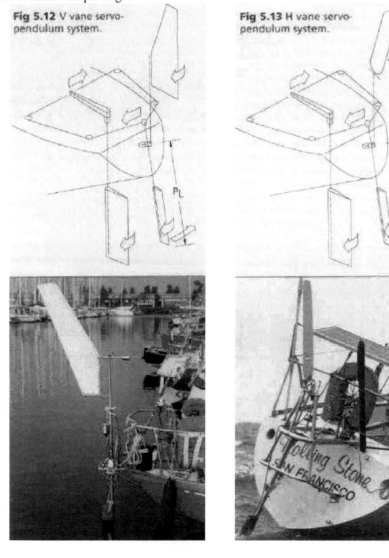

Fig 5.12 V vane servo-pendulum system.

Fig 5.13 H vane servo-pendulum system.

Ce régulateur d'allure Windpilot Pacific à girouette verticale et safran pendulaire assisté MKI (1969) est en acier inoxydable.

Régulateur d'allure Monitor classique à girouette horizontale et safran pendulaire assisté.

Le principe de l'amplification

Imaginez-vous debout à l'arrière de votre bateau qui croise à une vitesse de 6 nœuds, tenant en main une planche d'une longueur de 2 m/6 ft qui est partiellement immergée. Tant que la planche est parfaitement alignée dans l'axe central du bateau, vous pourrez la tenir à deux doigts. Mais dès que vous la tournerez un tant soit peu, elle déviera brusquement et vous en ressentirez les effets dans votre bras (qui fait en l'occurrence office de bras de transmission).

Selon ce principe, la force hydrodynamique de l'eau peut être exploitée pour générer une force de traction jusqu'à 300 kg/660 lb. Cela explique pourquoi les systèmes à safran pendulaire assisté sont parfaitement capables de guider des bateaux de grandes tailles et de grands tonnages : un bateau de grande taille demande certes une plus grande puissance de pilotage, mais produit également une force hydrodynamique supérieure dont le régulateur d'allure peut tirer profit.

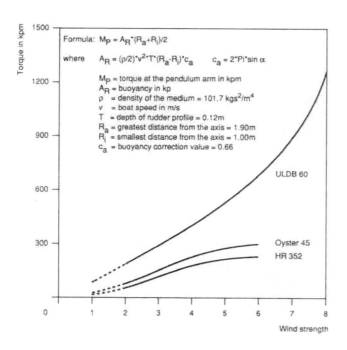

Fig. 5.14 Cette figure montre comment, sur un bateau en marche, le couple au niveau du bras de transmission du pendulum assisté est automatiquement limité par la vitesse maximale du bateau. Cette limitation n'existe pas sur les ULDB car la vitesse de ces bateaux peut rapidement s'accroître lorsqu'ils sont pris dans un ressac. Dans le présent exemple, la formule est appliquée à un régulateur d'allure Windpilot Pacific équipé d'un safran de 12x90 cm/4.8x36 in et ayant un PL standard de 190 cm/76 in.

Amortissement des embardées

Un yacht livré à lui-même est foncièrement instable puisqu'il s'orientera automatiquement au vent jusqu'à ce que les voiles faseyent. Un yacht à voiles piloté par un skipper, un autopilote ou un régulateur d'allure est stable. La différence, grande ou petite, entre ces deux états – qui se résume à une différence de charge sur le gouvernail – dépend du réglage des voiles, des conditions atmosphériques et des caractéristiques du bateau. Parfois il suffit d'un couple minimal pour maintenir le cap, mais il arrive aussi que barrer demande d'énormes efforts.

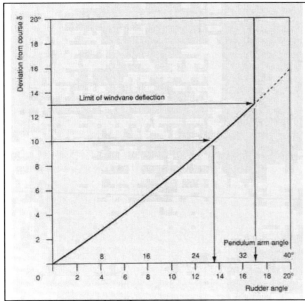

Deviation from course δ

Limit of windvane deflection

Pendulum arm angle

Rudder angle

Fig. 5.15 Windpilot Pacific : angle du safran et angle du bras de transmission du pendulum en fonction de l'écart de cap en présence d'une girouette tournant sur un axe incliné de ± 20°. Un écart de cap de 10° se traduit par un déplacement latéral du bras de transmission du pendulum de l'ordre de 27° et une rotation du safran principal de max. 13°. Le safran pendulaire assisté ne survire que très légèrement (10° et 13° pour le safran principal). Ceci explique l'excellente performance de pilotage de ce système.

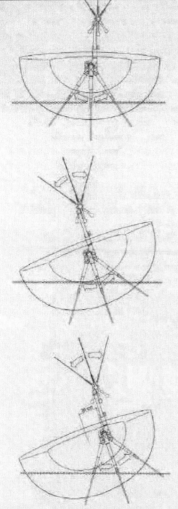

Fig 5.16 Working range of a servo-pendulum system with bevel gear linkage.
a) no incline – pendulum rudder in water
b) inclined – pendulum rudder in water
c) inclined, offset mounting – pendu-

Les safrans pendulaires assistés peuvent déployer une énorme force qui n'est cependant pas sans danger. À défaut de pouvoir être maîtrisée d'une manière ou d'une autre, cette force exercée sur le safran principal risque en effet d'être trop violente et trop prolongée, et de faire survirer le bateau.

Voyez comment se comporte un skipper expérimenté. Conscient du fait que la correction de cap d'un bateau ne tient qu'à d'infimes mouvements du safran, il ne donnera jamais de grands coups de barre intempestifs dont l'effet aléatoire risque de faire survirer le bateau. Il ne le fera d'autant moins que ce genre de manœuvre freine l'allure du bateau.

Ou voyez comment se comporte une hélice repliable (type Max Prop), qui, lorsqu'on navigue à la voile, est immobile dans le sillage de la quille. Dès qu'elle reçoit une impulsion mécanique, cette hélice se met à tourner sur son axe et ne s'arrête de tourner qu'au moment où cette impulsion est neutralisée. Dans le cas d'un régulateur d'allure, le safran pendulaire est comparable à l'hélice, l'axe du safran pendulaire comparable à l'axe de l'hélice et l'impulsion mécanique est générée par la girouette.

Si l'impulsion de guidage en provenance de la girouette était transmise telle quelle au safran pendulaire, c.-à-d. sans le moindre amortissement, elle lui imprimerait un mouvement latéral beaucoup trop violent, au risque qu'il émerge de l'eau, jusqu'à ce que le vent fournisse une impulsion de guidage dans la direction opposée. Si ce mouvement n'était pas réprimé, il exigerait des drosses trop longues pour transmettre la correction au safran principal et lui laissant une trop grande liberté de mouvement qui risquerait de se traduire par un survirage.

Amortir les embardées dans le cas d'un safran pendulaire consiste à limiter la course latérale de son bras à l'aide d'une girouette dûment amortie et d'un engrenage conique avec un facteur de réduction de 2:1. Un autre argument, encore plus important, en faveur d'une réduction de la course du bras de transmission du pendulum est qu'un voilier a un angle de gîte de tout au plus 30° et que, par conséquent, l'angle de manœuvre du safran ne peut excéder 28° si l'on veut éviter qu'au vent le safran émerge de l'eau sous l'effet combiné du gîte et d'un grand déplacement latéral du bras. Un montage excentré du safran pendulaire est tout sauf conseillé puisqu'il ne ferait qu'aggraver le problème en réduisant encore davantage son angle de manœuvre (cf. fig. 5.16). Pour la plupart des corrections de cap, le safran pendulaire doit se déplacer au vent puisque c'est ce mouvement qui induit l'abattée du safran principal nécessaire à la correction de cap.

L'impulsion de guidage en provenance de la girouette ne fait pas dévier le bras de transmission du pendulum de plus de 28°. Chaque fois que la girouette fait pivoter le safran, le bras de transmission du pendulum se déplace latéralement tout en rétablissant le parallélisme entre le safran et l'axe central du bateau. Grâce à ce système, la course n'excède jamais les 25 cm/10 in, parant ainsi à tout risque de survirage.

Le nec plus ultra est un safran pendulaire assisté avec une girouette horizontale inclinée de 20? (cf. chapitre 4) et une transmission à engrenage conique avec un facteur de réduction de 2:1, comme ceux proposés par Aries, Monitor, Windpilot (Pacific) et Fleming.

Un système à safran pendulaire assisté et engrenage conique est une solution idéale car en mesure de parfaitement doser la force nécessaire à la correction de cap du bateau. À la moindre relâche d'attention quant au réglage des voiles, le régulateur d'allure exerce automatiquement une pression accrue sur safran principal qui réagit à l'avenant.

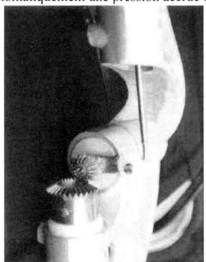

Un système à safran pendulaire assisté qui n'est pas amorti contre les embardées est très contraignant pour l'équipage qui devra accorder une attention excessive au réglage des voiles, ainsi qu'à l'assiette et aux caractéristiques du bateau.

Engrenage conique 2:1 tournant sur 360° d'un régulateur d'allure Windpilot Pacific

La bielle de transmission

L'impulsion de guidage en provenance de la girouette destinée au déplacement latéral du safran pendulaire est transmise par une longue bielle verticale à l'engrenage conique qui l'amplifie. Cette bielle éprouve relativement peu de résistance. Le tout est donc de s'assurer que l'impulsion soit rapide et fiable, même par temps calme. Les bielles de la première heure étaient surdimensionnées car les fabricants avaient sérieusement surestimé les contraintes auxquelles elles sont soumises. C'est ainsi que le régulateur d'allure Aries est équipé d'une bielle qui pèse plus d'un 1 kg/2 ¼ lb et celui de Monitor d'une bielle de 450 g/1 lb. Plus moderne, le régulateur Pacific de Windpilot est doté d'une bielle qui consiste en un tube en acier inoxydable ne pesant que 143 g/5 oz et qui a largement fait ses preuves sur des milliers de bateaux au cours de ces douze dernières années. Il est clair que ces deux modèles, totalement différents, ne donnent pas les mêmes résultats.

N'oubliez pas que la bielle est un des facteurs à la clé d'une bonne performance de pilotage par temps calme et qu'elle a, par conséquent, tout intérêt à être la plus légère possible et certainement pas plus puissante qu'il ne faut.

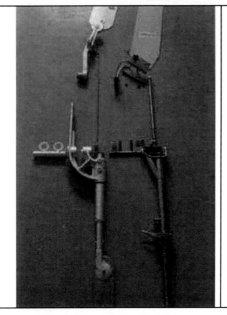

Les régulateurs d'allure Windpilot Pacific (à gauche) et Monitor sont conçus de la même façon, mais ils diffèrent au niveau de la longueur de la bielle, ainsi que de la rotule et du diamètre du bras de transmission du pendulum.

Transmission de la puissance de pilotage

La puissance générée par le safran est transmise au bateau par des drosses. Les drosses des régulateurs traditionnels (Aries, Monitor) sont reliées au bras de transmission du bras de transmission du pendulum sous le pont. De là, les deux drosses (une de chaque côté) sont guidées par l'intermédiaire de trois poulies jusque sur le pont où elles sont reliées à la barre franche ou à la barre à roue par l'intermédiaire de deux autres poulies. Ce système implique une dizaine de poulies et de longues drosses. Les drosses des régulateurs modernes sont, quant à elles, reliées sur pont grâce à l'extension vers le haut du bras de transmission du pendulum. Dans cette configuration, le nombre de poulies est ramené de 10 à 4 et les drosses sont plus courtes. Avec ces systèmes modernes, il faut veiller à ce qu'au départ les drosses soient parallèles au tableau. Il peut y avoir un petit défaut de parallélisme, mais pas au point de compromettre l'angle de transmission et de réduire ainsi la course des drosses. Les drosses doivent décrire une course complète, surtout sur des bateaux de grande taille.

Course des drosses sur
un tableau *double ender*

Pour faciliter l'utilisation de ce système sur des tableaux surdimensionnés de type *double ender* ou S*coop*, le régulateur Windpilot Pacific est livré avec une barre transversale aux extrémités de laquelle il y a moyen de fixer une poulie. Cette option ne vaut pas pour le Sailomat 601.

Un régulateur à safran pendulaire assisté ne fonctionnera convenablement que si la force appliquée sur safran principal est transmise en douceur. Un système de transmission à drosses courtes et peu de poulies donnera de meilleurs résultats. Plus les drosses sont longues et les poulies nombreuses, plus la transmission laissera à désirer. Des drosses lâches ou distendues et un gouvernail manquant de souplesse nuisent à l'efficacité du système. La performance de pilotage d'un régulateur à safran pendulaire assisté est proportionnelle à la qualité de la transmission de puissance.

Transmission courte d'un régulateur Windpilot Pacific. Les drosses sont reliées au bras de transmission du pendulum à hauteur du pont.

Course des drosses

En présence d'un régulateur à safran pendulaire assisté doté d'un engrenage conique amortissant les embardées, la course maximale des drosses est de l'ordre de 25 cm/10 in. Si la transmission n'est pas optimale ou si les drosses sont lâches, distendues ou trop longues, cette course sera inférieure. Dans le pire des cas, cette course ne sera plus que de 10 cm/4 in sous l'effet combiné de divers facteurs. Or, un régulateur à ce point bridé marquera son impuissance à la moindre occasion : tôt ou tard, le safran est voué à perdre le contrôle. Un bon safran pendulaire assisté est capable de générer une puissance de pilotage pouvant atteindre 150 kg – ce qui est suffisant pour maintenir un bateau de 60 ft sur le bon cap.

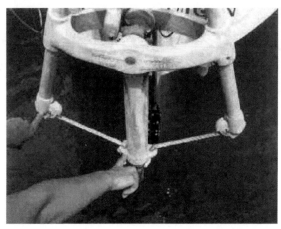

La performance de pilotage d'un système à safran pendulaire assisté dépend de la qualité du système de transmission de la puissance.

Course des drosses de 25 cm/10 in, telle que montrée ici sur un Aries, mais identique sur un Monitor ou un Windpilot Pacific.

Conseil : La course des drosses et, par réaction, la course du safran chargé de la correction de cap peuvent être accrues en orientant le girouette davantage sous le vent (en agissant sur l'adaptateur de la barre franche ou de la barre à roue). Ce procédé est basé sur le fait que, dans la plupart des cas, les corrections de cap effectuées par un régulateur d'allure consistent en des abattées. Il se pourrait même que dans des conditions extrêmes, abattre soit l'unique moyen pour obtenir des angles de safran suffisamment larges.

Transmission avec barre franche

Des bateaux dotés d'une barre franche ont tout pour contribuer à la qualité de la transmission de la puissance de pilotage. Leur cockpit situé à l'arrière permet d'opter pour une transmission courte et le point d'attache des drosses sur la barre franche peut être déplacé ou, comme c'est parfois le cas sur des bateaux plus légers ou rapides, coulisser sur un rail. Pour attacher les drosses à la barre franche, on a intérêt à utiliser une chaîne de raccord et à caler un de ses maillons entre les deux ergots de l'adaptateur de la barre franche. Les drosses de certains systèmes sont attachées à la barre franche à l'aide de taquets, mais cette solution n'est pas très pratique.

L'adaptateur de la barre franche est monté à hauteur des ± 6/10 de la barre franche, c.-à-d. juste en aval de la zone normalement réservée au pilotage du bateau. Le long du cockpit, les drosses sont légèrement orientées en arrière pour pouvoir épouser la course de la barre franche. Ce système a pour avantage que, quand la chaîne est bloquée dans l'adaptateur de la barre franche et le régulateur d'allure est opérationnel, les drosses sont toujours parfaitement tendues.

Adaptateur de barre franche et
chaîne de raccord, Windpilot
Pacific

Les drosses servant à la transmission de la puissance de pilotage consistent en des cordes préétirées. Elles ne peuvent cependant pas être trop tendues pour éviter toute friction excessive au niveau des poulies qui risquerait de nuire à la qualité de la transmission. Pour éviter toute friction, on peut opter pour des poulies à roulements à billes. Des poulies trop nombreuses, des drosses trop longues ou trop tendues et un gouvernail manquant de souplesse sont autant de facteurs qui peuvent nuire à la qualité de la transmission.

La drosse idéale consiste en une corde tressée préétirée de 8 mm de diamètre. La résistance à la rupture de ce type de cordes est nettement supérieure aux charges auxquelles les drosses sont actuellement soumises. Leur élongation est donc minime. Lors de longs voyages, on a intérêt à les inverser de temps à autre pour empêcher qu'elles ne s'usent toujours aux mêmes endroits.

Réglage fin

Le système de fixation de la chaîne permet d'ajuster aisément le cap du bateau lorsque le régulateur d'allure est opérationnel. Il permet également à l'équipage de détacher rapidement la chaîne le cas échéant (par ex. lors d'une manœuvre d'urgence). Lorsque la chaîne est détachée, le régulateur d'allure n'a plus le moindre effet : il se contente de suivre le bateau comme un petit chien qui obéit au doigt et à l'œil. Comme le régulateur d'allure ne gêne en rien le gouvernail, il n'y a aucune raison de démonter la girouette.

Transmission vers une barre à roue

La transmission de la puissance de pilotage vers une barre à roue est plus longue et donc moins efficace. Les pertes de puissance sont plus importantes et se traduisent par une réduction de la course des drosses qui est normalement de 25 cm/10 in. De nos jours, la plupart des bateaux de plus de 11 m/35 ft sont équipés d'une barre à roue, pour la bonne raison que le gouvernail est trop grand que pour être actionné en l'absence de tout démultiplicateur. Ceci dit, de nombreux bateaux en sont équipés tout simplement parce que les barres à roue sont à la mode. Les barres à roue prennent plus de place dans le cockpit et nombreux sont les bateaux qui, bien qu'équipés d'une barre à roue, auraient intérêt à être pilotés à l'aide d'une barre franche.

Sur les modèles récents, la transmission mécanique de la puissance de pilotage entre la barre à roue et le safran est assurée par des câbles blindés. Une roue à barre moyenne a un diamètre d'environ 60 cm/2 ft et décrit 2,5 tours de butée à butée. La plupart des constructeurs de systèmes à safran pendulaire assisté conçoivent leurs adaptateurs de barre à roue en fonction de ce standard. Les adaptateurs de barre à roue ont, à quelques exceptions près, un diamètre d'environ 16 cm/6 ½ in (équivalant à une circonférence de ± 53 cm/21 in). Vu ces dimensions, il est clair que, même dans des conditions optimales sans la moindre perte de transmission, une course de 25 cm/10 in équivaut à un peu moins d'un demi-tour de barre.

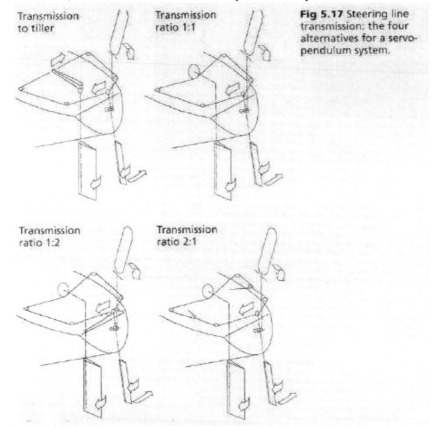

Transmission to tiller

Transmission ratio 1:1

Transmission ratio 1:2

Transmission ratio 2:1

Fig 5.17 Steering line transmission: the four alternatives for a servo-pendulum system.

Toutes les barres à roue sont conçues pour exiger un même effort de la part du skipper. Cela signifie que plus une barre à roue est grande, moins de tours elle devra décrire de butée à butée. Sur une barre à roue d'un diamètre supérieur, l'adaptateur doit donc exercer plus de force en présence de drosses courtes.

Pour la transmission de puissance entre le safran pendulaire et la barre à roue, on a le choix entre une transmission :

- ? directe ou 1:1
- ? double, c.-à-d. course 2 x plus longue pour 2 x moins de force
- ? par l'intermédiaire de poulies mobiles, c.-à-d. course 2 x plus courte pour 2 x plus de force

Tous ces systèmes sont performants à condition d'être correctement installés. Aucun d'entre eux n'est cependant en mesure d'offrir la même qualité de transmission qu'une barre franche : une qualité inégalable attribuable à son point d'attache et son taux de transmission réglables, ainsi que sa course nettement plus courte. En 1997, Windpilot a doté son régulateur d'allure Pacific d'un adaptateur pour barre à roue qui peut être réglé en continu et dont la précision de réglage n'a donc rien à envier à celle d'une barre franche.

Conseil : Pour avoir plus facilement accès au cockpit, il y a moyen de faire passer les quatre drosses du même côté. Dans ce cas, le tout sera de ne pas les confondre. Pour parer à ce risque, vous avez intérêt à les repérer ou à les attacher deux par deux à l'aide de mousquetons.

En cas de mou, il suffit d'insérer une poulie supplémentaire entre les deux poulies déjà en place et de l'orienter vers le haut, le bas ou sur le côté pour tendre les drosses. Pour faciliter l'ouverture des mousquetons, il suffit de relâcher cette poulie pour détendre les drosses.

Drosses réunies du même côté et groupées à l'aide de mousquetons.

Poulie supplémentaire permettant de tendre aisément les drosses.

Les facteurs qui nuisent à la qualité de la transmission vers une barre à roue sont les mêmes que ceux qui nuisent à la qualité de transmission vers une barre franche. Comme cette qualité risque, en plus, d'être compromise par certaines défaillances au niveau du système de pilotage proprement dit (manque de souplesse du gouvernail, mou, mauvaise transmission), il est clair que, dans certains cas, le système de drosses standard avec une course de 25 cm/10 in *(cf. Course des drosses)* ne sera pas en mesure de faire pivoter suffisamment le gouvernail.

Le régulateur d'allure Windpilot
Pacific (version1998) est doté d'un
adaptateur pour barre à roue
réglable en continu.

Réglage de l'adaptateur pour barre à roue

La plupart des adaptateurs de barre à roue fonctionnent suivant le même principe. Techniquement parlant, un modèle n'est pourtant pas l'autre. Exemples :

1. Le tambour de l'adaptateur Cap Horn (Sailomat) est fixe et non réglable. Pour ajuster le cap, il faut extraire les drosses de l'adaptateur pour les raccourcir ou les allonger. Vu la difficulté de l'entreprise, plus d'un navigateur renonce à procéder à ce réglage fin, même s'il est clair que la qualité de la navigation en pâtit. Pour avoir une plage de réglage suffisante, ce système implique des drosses longues et l'ajout de poulies.

2. Adaptateur réglable (Monitor). Une goupille à ressort insérée dans un trou du rail maintient le disque dans la position requise. Pour ajuster les drosses, il s'agit d'extraire la goupille, de faire pivoter le disque et de le bloquer dans cette nouvelle position en réinsérant la goupille dans le trou correspondant.

3. Adaptateur pour barre à roue (Aries). L'adaptateur est monté sur une roue dentée et fixé à l'aide d'un embrayage. Pour le régler, il faut d'abord le débrayer.

4. Adaptateur réglable en continu fonctionnant selon le principe du frein à disque (Windpilot Pacific). L'adaptateur est monté sur un disque. Pour le régler, il suffit de l'orienter dans la position requise et de le bloquer à l'aide d'un frein. Ce frein ne peut pas être trop serré car il doit être en mesure de patiner en cas de surcharge (par ex. lors d'une bourrasque soudaine) pour protéger les organes d'accouplement. Ce type d'adaptateur se règle en un tournemain, le tout étant de laisser au frein un certain jeu

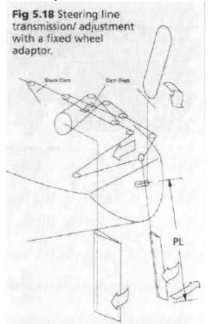

Fig 5.18 Steering line transmission/ adjustment with a fixed wheel adaptor.

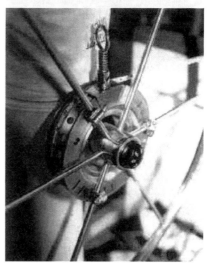

lorsqu'on repositionne la barre à roue.

5. Le tambour de l'adaptateur Cap Horn (Sailomat) est fixe et non réglable. Pour ajuster le cap, il faut extraire les drosses de l'adaptateur pour les raccourcir ou les allonger. Vu la difficulté de l'entreprise, plus d'un navigateur renonce à procéder à ce réglage fin, même s'il est clair que la qualité de la navigation en pâtit. Pour avoir une plage de réglage suffisante, ce système implique des drosses longues et l'ajout de poulies.

6. Adaptateur réglable (Monitor). Une goupille à ressort insérée dans un trou du rail maintient le disque dans la position requise. Pour ajuster les drosses, il s'agit d'extraire la goupille, de faire pivoter le disque et de le bloquer dans cette nouvelle position en réinsérant la goupille dans le trou correspondant.

7. Adaptateur pour barre à roue (Aries). L'adaptateur est monté sur une roue dentée et fixé à l'aide d'un embrayage. Pour le régler, il faut d'abord le débrayer.

8. Adaptateur réglable en continu fonctionnant selon le principe du frein à disque (Windpilot Pacific). L'adaptateur est monté sur un disque. Pour le régler, il suffit de l'orienter dans la position requise et de le bloquer à l'aide d'un frein. Ce frein ne peut pas être trop serré car il doit être en mesure de patiner en cas de surcharge (par ex. lors d'une bourrasque soudaine) pour protéger les organes d'accouplement. Ce type d'adaptateur se règle en un tournemain, le tout étant de laisser au frein un certain jeu lorsqu'on repositionne la barre à roue.

Trois adaptateurs de barre à roue (de haut en bas) :
Monitor, Aries et Windpilot.

Le diamètre de montage d'un adaptateur pour barre à roue doit être compatible avec celui du pilote automatique, si présent.

Trois adaptateurs de barre à roue (de gauche à droite) :
Aries, Monitor et Windpilot.

Transmission vers un gouvernail de fortune

La plupart des bateaux à barre à roue peuvent être également équipés d'une barre franche susceptible de prendre la relève en cas de défaillance de la barre à roue. N'essayez cependant jamais d'améliorer la qualité de transmission de votre système en le raccordant à ce gouvernail de fortune ! Cela ne fonctionnera pas car la barre franche tentera de faire tourner la barre à roue et l'effet sera le même que si vous essayez de tourner le volant de votre voiture en agissant manuellement sur les roues avant.

La barre franche ne fonctionnera convenablement que dans la mesure où la barre à roue est désaccouplée. Autant cette solution est peu pratique pour la navigation de plaisance, autant elle peut être utile pour la navigation hauturière. Comme c'est de toute façon le régulateur d'allure qui fait le gros du travail lors de longs voyages, il ne faut pas craindre de neutraliser la barre à roue pour tirer profit des avantages d'une transmission directe vers la barre franche. Cette solution n'est cependant indiquée qu'à condition que :

1. la barre franche de secours soit assez longue que pour pouvoir être manœuvrée manuellement ;
2. la barre franche de secours soit à la portée du skipper. Elle ne peut en aucun cas être située en dehors du cockpit sur le pont arrière ;
3. la barre franche de secours soit solidement et étroitement accouplée au safran (il ne peut pas y avoir le moindre jeu).

Si vous avez l'intention de faire construire un bateau, vous avez intérêt à prévoir dès le départ une transmission pour un éventuel gouvernail de fortune (cf. *Construction d'un nouveau bateau*).

Transmission vers une barre à roue hydraulique

Les systèmes de pilotage hydrauliques ont leur place sur des bateaux dont le safran exerce une pression qu'un système mécanique n'est pas à même de gérer ou qui, dans un souci de confort accru, sont équipés de plusieurs postes de pilotage. En présence d'un système de pompes et cylindres hydrauliques, la transmission de la puissance de pilotage est toujours indirecte. La course de butée à butée de la barre à roue est nettement plus longue qu'en présence d'un système mécanique et c'est une des raisons pour lesquelles les safrans pendulaires assistés ne s'avèrent pas pratiques sur des bateaux dotés d'un système de pilotage hydraulique. La seconde raison est que la plupart des systèmes hydrauliques ont un peu de jeu dû aux pertes d'huile au niveau des joints défectueux (par ex. bagues d'étanchéité). Avec un safran pendulaire assisté, la position du safran dans l'axe central du bateau doit être toujours la même, ce qui est rarement le cas en présence d'un système de pilotage hydraulique.

Transmission vers un gouvernail de fortune

Cette solution séduisante ne fonctionnera qu'à condition que l'ensemble du système hydraulique, y compris le cylindre principal, soit déconnecté du safran. S'il ne l'est pas, le gouvernail de fortune tentera, en vain, de faire tourner les organes du système hydraulique dans le mauvais sens (comme en présence d'un système de pilotage mécanique).

L'organe à opposer la plus grande résistance étant le cylindre principal, l'installation d'une soupape de dérivation ne servira à rien. Finalement, il est préférable de déconnecter tout simplement le circuit hydraulique pour permettre au safran pendulaire assisté de piloter dûment le bateau plutôt que passer tout le voyage à la barre ou s'esquinter à trouver d'autres solutions.

Protection contre les surcharges
A. Surcharge des organes de transmission

En présence d'un safran pendulaire assisté, les drosses doivent consister en des cordes préétirées d'au moins 6 mm/ ¼ in ou, mieux encore, de 8 mm /1/3 in de diamètre. Des drosses de ce type résistent facilement à des puissances de pilotage de 300 kg/660 lb (les plus élevées qu'elles risquent de rencontrer). Leur élongation sera donc minime.

Si le safran perd soudainement le contrôle ou si le bateau est frappé par une rafale, le safran pendulaire assisté agira de toutes ses forces sur les drosses et le safran principal. Les drosses seront alors soumises à une traction telle qu'elles risqueront de faire plier les chandeliers ou le balcon arrière sur lesquels les poulies sont boulonnées. Pour parer à ce risque, on a intérêt à attacher de chaque côté du bateau une des poulies montées sur le rail uniquement à l'aide d'une corde d'amarrage qui, en cas de surcharge, se rompra pour éviter pire.

B. Surcharge de l'arbre du safran

La pale d'un safran pendulaire tend à s'emmêler les pinceaux dans tout ce qui traîne dans l'eau (algues, filets de pêche, etc.) et doit donc être dûment protégée contre les surcharges. Cette protection peut être assurée de différentes façons :

1. Par l'insertion entre la mèche du safran et le bras de transmission du pendulum d'un point de rupture sous la forme d'un tube crénelé (Aries). Les paramètres de rupture sont difficiles à déterminer : l'effet de levier exercé par le safran pouvant être relativement élevé, il est difficile de prévoir quand le point de rupture cédera et le régulateur sortira de ses gonds. Le safran pendulaire a en tout cas intérêt à être attaché avec une corde pour empêcher qu'il ne soit emporté par les flots au moment où sa mèche casse.

2. Par l'insertion entre la pale et l'arbre du safran d'un loqueteau à ressort qui cède lorsque la pale du safran éprouve une quelconque résistance (Monitor). Ce système protège efficacement le safran et le bâti support en cas de collision.

3. Par la pose sur l'extrémité fourchue de la mèche du safran d'une bague en caoutchouc (Cap Horn) ou d'une attelle (Atoms) qui cède lorsque la pale du safran est soumise à une surcharge.

4. Par la pose latérale de boulons M8 qui empêchent la pale de pivoter (Sailomat 601). Un boulon M8 est cependant trop résistant que pour offrir une protection réellement efficace.

5. Par la pose d'un bras se terminant par une large fourche dans laquelle la pale est coincée. Le boulon de serrage de cette fourche ne peut pas être trop serré pour permettre au safran de se redresser en avant ou en arrière dès qu'il heurte quelque chose (Windpilot Pacific). La pale du safran doit être parfaitement équilibrée car le moindre déséquilibre risque d'augmenter ou réduire la sensibilité du régulateur d'allure.

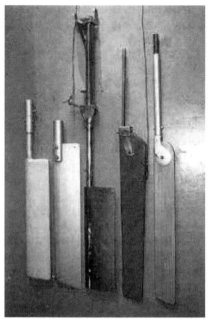

Dispositifs de protection contre les surcharges (de gauche à droite) : Aries, Sailomat, Monitor, Windpilot Pacific (ancien modèle), Windpilot (nouveau modèle)

Le Windpilot Pacific fend les eaux en provoquant un minimum de remous.

Conseil : En principe, la pale d'un système à safran pendulaire assisté ne peut être entièrement immergée que lorsque le bateau flirte avec sa vitesse maximale, c.-à-d. lorsque le système doit générer un maximum de puissance. Autrement dit, lorsque le bateau est à l'arrêt, la pale émerge partiellement de l'eau. La hauteur de la partie émergeant de l'eau dépend du sillage du bateau qui dépend à son tour du type de bateau. Un bateau équipé d'un tableau traditionnel produit par exemple un sillage nettement plus élevé par rapport au niveau de l'eau environnante. Si la pale est trop profondément immergée, sa mèche traînera également dans l'eau, provoquant inutilement des remous qui freineront l'allure du bateau. Pour parer à ce problème, on a intérêt à fixer le safran pendulaire plus haut sur le tableau, d'autant que cette configuration accroît les performances de la girouette.

Le safran pendulaire : matériau, flottabilité, forme et taux de compensation

Un safran pendulaire doit être très sensible pour pouvoir répondre avec un maximum de précision à chaque signal en provenance de la girouette. Pour ajouter à cette sensibilité, le safran pendulaire doit être doté d'un bras dûment équilibré et d'une pale avec une bonne force de sustension. En plus, ce bras et cette pale ne peuvent pas être plus lourds que strictement nécessaire. Les contraintes exercées sur un safran pendulaire ne sont généralement pas excessives et même lorsque le bateau se lance à l'assaut des vagues, celles-ci ont peu de chances d'endommager le régulateur situé, bien à l'abri, à l'arrière du bateau. La force générée par le safran pendulaire est cependant très contraignante pour le pivot du bras de transmission du pendulum. D'où sa construction nettement plus robuste sur les modèles récents (Sailomat 601, Windpilot Pacific), comme en témoigne le tableau ci-dessous.

Dimensions du pivot du bras de transmission du pendulum :

Aries	25 mm
Monitor	22 mm
Sailomat	40 mm
Windpilot Pacific	40 mm

Dimensions et matériaux du bras du pendulum :

Aries STD	tube en aluminium de 38 x 6.5 mm
Monitor	tube en acier inoxydable de 41.3 x 1.25 mm
Sailomat 601	tube en aluminium de 60 x 6 mm
Windpilot Pacific	tube en aluminium de 50 x 5 mm

Un safran pendulaire ne doit pas avoir une section profilée puisque son angle d'attaque maximal est minime. Chaque fois que la girouette fait pivoter la pale de safran et augmente son angle d'attaque, la pale dévie d'un côté, ramenant immédiatement cet angle à zéro. L'angle d'attaque, qui varie en fonction de la pression que le safran doit exercer pour corriger le cap du bateau, n'est jamais supérieur à 3 - 5?. Cela veut aussi dire qu'en cas de pépin, la pale peut être remplacée à la rigueur par une simple latte en bois, à condition que celle-ci soit solidement arrimée au bras (ce qui ne pose aucun problème lorsqu'on a à faire à un bras fourchu comme celui du Sailomat 601 ou Windpilot Pacific).

Le taux d'amortissement du safran pendulaire a une incidence directe sur la sensibilité de l'ensemble du système. Si le régulateur est censé être performant par temps calme, par exemple, un signal même relativement faible devrait suffire à faire pivoter ou dévier le safran pendulaire. Or il est clair qu'un safran pendulaire fortement amorti ou à taux d'amortissement variable pivotera plus aisément qu'un safran non amorti.

La performance de pilotage d'un régulateur d'allure est finalement déterminée par l'effet combiné de ses différents paramètres de fonctionnement. La définition optimale de chacun de ces paramètres implique une grande expérience pratique et une longue série d'essais. On ne sera donc pas surpris de constater que la plupart des fabricants ont leurs propres normes dans ce domaine.

Dimensions des pales (largeur et profondeur) et taux d'amortissement des systèmes à safran pendulaire assisté les plus courants :

Aries STD	170 x 50 mm	taux d'amortissement : 19.4 %	mousse rigide - flottante

Monitor	170 x 48 mm	taux d'amortisement : 20.0 %	mousse rigide - flottante
Sailomat 601	170 x 25 mm	taux d'amortisement : 20.6 %	Profilé d'aluminium - non flottant
Windpilot Pacific	120 x 19 mm	taux d'amortisement : 22.5 %	Bois - flottant

Réglage de la girouette en fonction de l'orientation du vent

Girouette verticale

Le réglage est le même que pour un régulateur d'allure à safran auxiliaire et girouette verticale. La girouette peut être désaccouplée et se mouvoir ainsi librement au vent, indépendamment du système de pilotage. Une fois connecté et réglé, le régulateur d'allure peut être ajusté à l'aide d'une vis sans fin. La longueur du mât de la girouette verticale peut être réglée en fonction de la puissance du vent, de la même façon qu'en présence d'un système à safran auxiliaire.

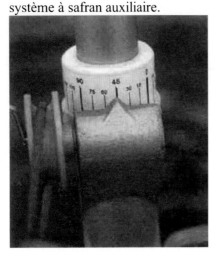

Système de réglage à distance, avec bague graduée offrant une excellente lisibilité (Windpilot Pacific).

Girouette horizontale

Il y a quatre possibilités :

1 Réglage manuel : Déverrouiller le mât de la girouette, régler la girouette par rapport au vent et reverrouiller le mât (Sailomat). Cette méthode implique la présence d'un membre de l'équipage à l'arrière du bateau, ce qui n'est pas très agréable, voire dangereux la nuit. Ce système est dépourvu de toute bague graduée indiquant la position de la girouette par rapport au vent.

2 Pignon et chaîne : La position de la girouette est réglée à l'aide d'un pignon et d'une chaîne, similaires à ceux d'un vélo. Ce dispositif permet un réglage en continu et est, moyennant quelques petites adaptations, compatible avec une commande à distance (Monitor). Il n'y a pas de bague graduée.

3 Pignon réglable au pas de 6° et loquet : Agir sur le pignon pour orienter la girouette dans la bonne position et la bloquer à l'aide du loquet (Aries). Ce pignon est réglable au pas de 6° ce qui est souvent un réglage trop grossier au vent. Ce dispositif a pour autre désavantage d'être lourd et délicat à utiliser.

4 Vis sans fin : La girouette est orientée à l'aide d'une vis sans fin (Windpilot Pacific). Ce système est très convivial et peut être commandé à distance. Autre atout : cette vis sans fin peut être combinée avec une bague graduée qui indique l'angle de la girouette par rapport au vent et facilite le réglage de cap.

Comme nous l'avons vu dans le paragraphe consacré au réglage de la girouette horizontale, la girouette peut être réglée en fonction de la puissance du vent. Le fait de pouvoir la régler à distance est non seulement pratique, mais aussi plus sûr – personne n'aime, en pleine nuit, se pencher à moitié dans le vide pour régler le cap d'un bateau.

Facilité d'installation

Les systèmes à safran pendulaire assisté traditionnels demandent souvent un bâti support réalisé sur mesure.

Installer un safran pendulaire assisté traditionnel n'est pas une sinécure. Le principal problème réside dans le fait qu'il existe une infinité de types de tableaux et que ceux-ci impliquent un système de fixation sur mesure – le cauchemar de tout propriétaire de DIY. En présence d'un safran hors bord ou d'un tableau de type *Scoop* à très forte inclinaison, le bâti support standard d'Aries ou Monitor n'est pas d'un grand secours. Qu'on le veuille ou non, il faut prévoir un bâti support tubulaire, lourd et complexe, même si les forces exercées sur le bâti support d'un safran pendulaire assisté sont étonnamment faibles (nous expliquerons plus tard pourquoi).

Les systèmes modernes sont livrés avec une plaque de montage à géométrie variable qui s'adapte à la plupart des tableaux, quelle que soit leur inclinaison, en l'absence de tout adaptateur spécial, et qui rend l'installation nettement plus aisée. Dans le cas de bateaux équipé d'un tableau positif, souvenez-vous que la plupart des safrans pendulaires assistés ne fonctionnent convenablement que lorsque le bras de transmission du pendulum est parfaitement à la verticale. Sur ces bateaux, il y a parfois lieu de prévoir un bâti support en surplomb pour empêcher que la mèche du safran ne heurte le bord inférieur du tableau.

Sur les tableaux positifs modernes, l'installation d'un système à safran pendulaire implique parfois la pose d'un bâti support en surplomb.

Grâce à son bras incliné, le safran pendulaire du Windpilot ne dépasse pas lorsqu'il est relevé.

Il suffit de desserrer un boulon, d'enlever le système et l'échelle de bain est prête à l'emploi.

Le poids de ce bâti s'ajoute bien entendu à celui du régulateur d'allure. La plupart des systèmes à safran pendulaire assisté sont équipés d'un bras de transmission vertical, à l'exception des systèmes Windpilot Pacific et Sailomat, sur lesquels il est incliné de resp. 10? et 25? en arrière. Cette inclinaison a son importance en présence de tableaux positifs (les plus courants) car elle fait en sorte que, même si le système est proche du tableau, le bras du safran ne heurtera jamais le fond ou l'extrémité arrière du bateau. Cela signifie aussi que quand le safran est relevé, il ne dépassera pas du bateau : un avantage non négligeable lorsqu'on est appelé à manœuvrer dans un port ou à amarrer en marche arrière en Méditerranée.

Positionnement sur le tableau

Il est clair pour fonctionner de façon optimale, un safran pendulaire assisté a intérêt à être fixé au centre du tableau. Un safran qui est excentré – par exemple pour éviter une échelle de bain – ne donnera jamais des résultats réellement satisfaisants. Tous les bateaux sont ardents. Ce phénomène est inhérent à leur configuration. Un régulateur d'allure tend à éloigner le bateau du lit du vent. En raison de la géométrie du safran pendulaire assisté, le bras de transmission du pendulum dévie au vent, c.-à-d. du côté haut du bateau, pour abattre. Si le système est monté de ce côté haut, le bras de transmission du pendulum balancera davantage et émergera de l'eau lors d'une forte déviation de cap. En allongeant le bras de transmission du pendulum, on ne fait que déplacer le problème puisque le bras et la pale du safran demeureront immergés et freineront l'allure du bateau.

Finis les malentendus

Les systèmes à safran pendulaire assisté ont une prise de force assistée. En principe, le bâti support doit être uniquement capable de résister à la force que les drosses transmettent au safran principal et au poids du régulateur d'allure. Les fortes charges, comme celles des fortes vagues, ne sont pas forcément pour inquiéter le régulateur d'allure. Les vagues ont plus tendance à frapper le bateau tout entier sous le vent qu'à s'acharner sur le safran pendulaire. Une vague qui frappe le bateau de côté agit non seulement sur le safran pendulaire, mais aussi sur le safran principal, les faisant tous deux pivoter légèrement et absorber une partie de la force de la vague. Les drosses reliant le régulateur au safran principal agissent donc comme une sorte d'embrayage coulissant, permettant au système tout entier d'amortir chaque mouvement.

Voyez, sur la photo ci-après, comment le régulateur d'allure Pacific est fixé (à l'aide de 4 boulons) sur ce cotre aurique de grand tonnage. En dépit de ses allures fragiles, ce bâti support n'a pas posé le moindre problème en l'espace de onze ans de navigation intense en haute mer. En fait, cela n'a rien de surprenant car, lorsque les drosses ne sont pas reliées, le safran pendulaire suit le bateau sans devoir faire le moindre effort, comme une mouette derrière un chalutier, et le bâti support ne doit supporter que le poids du régulateur d'allure. Lorsque les drosses sont reliées, le bâti support doit pouvoir résister en plus à la force que le safran pendulaire génère pour faire pivoter le safran principal et corriger le cap.

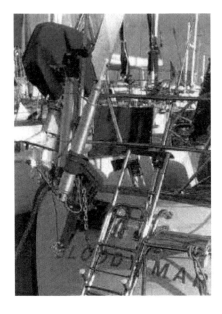

Un système à safran pendulaire assisté excentré n'est jamais réellement performant.

L'expérience apporte la meilleure preuve. Si les vagues risquaient vraiment d'endommager le safran pendulaire et son bâti support, il est clair que nous aurions observé, parmi les milliers de régulateurs de vitesse Aries et Monitor en circulation, ne serait-ce que quelques-uns dont le bras de transmission du pendulum se serait tordu au contact de la structure tubulaire dans laquelle coulissent les drosses – structure qui se prolonge jusque dans la partie inférieure de ces deux systèmes. Or, ce n'est pas le cas. Grâce à la configuration de l'engrenage conique de ces deux systèmes, le bras de transmission du pendulum se remet toujours en position parallèle à la quille, c.-à-d. qu'il est amorti de façon à ne jamais pouvoir heurter cette structure. Ce fait demeure acquis, quel que soit l'effet des vagues et même lorsque le bateau chavire.

Ce bâti support Windpilot Pacific monté depuis 12 ans sur un cotre aurique de 25 tonnes n'a jamais posé le moindre problème.

Les tableaux en bois, en acier, en aluminium et en GRP ultra robuste ne demandent pas à être renforcés intérieurement. Ce n'est qu'en présence de coques sandwich qu'il est conseillé de renforcer le tableau intérieurement par la pose de plaques de renfort en bois ou en aluminium au droit des points de fixation.

Multiplier les boulons pour soi-disant mieux répartir la charge n'est pas techniquement indispensable dans le cas de systèmes à safran pendulaire assisté classiques, type Aries ou Monitor. Si certains bâtis supports traditionnels sont équipés de nombreux boulons (jusqu'à 16) qui ne font que nuire à l'aspect esthétique du tableau, c'est parce que leurs concepteurs ont tout simplement surestimé les contraintes auxquelles ils sont soumis.

Bâti support sur un Colin Archer de 20 tonnes

Bâti support sur un Helmsman 49

Convivialité

Démontage

La facilité de démontage d'un safran pendulaire assisté est peu pertinente durant un voyage en haute mer. En revanche, il est d'autres circonstances dans lesquelles on se félicitera de ce qu'il se démonte en deux temps trois mouvements (par exemple pour empêcher qu'on ne le heurte ou qu'on ne le vole en hiver). Pour démonter les modèles Pacific et Sailomat 600, il suffit de desserrer un seul boulon. La plupart des autres systèmes sont fixés à l'aide de plusieurs boulons.

Utilisation

Un bon système à safran pendulaire assisté doit être simple et rapide non seulement à installer, mais aussi et surtout à extraire de l'eau. Le skipper doit pouvoir s'en remettre à lui lorsqu'il quitte la barre, ne serait-ce que pour aller jeter un bref coup d'œil du côté du poste de navigation. La difficulté d'utilisation des systèmes à safran pendulaire assisté traditionnels, doublée de leur aspect inesthétique, explique probablement pourquoi de nombreux navigateurs optent au départ pour un pilote automatique.

Un safran pendulaire ne peut être immobilisé. Cela signifie que si on ne l'extrait pas de l'eau avant d'entamer une marche arrière, il entravera la manœuvre dès que le courant à l'arrière du bateau le fait dévier.

Safran pendulaire Monitor hors d'usage.

Safran pendulaire Atoms hors d'usage

Safran pendulaire Fleming hors d'usage

Safran pendulaire Aries Lift-Up hors
d'usage

Safran pendulaire Navik hors d'usage

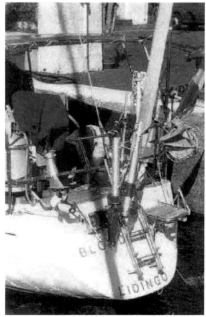

Safran pendulaire Sailomat 601 en position relevée

Safran pendulaire Windpilot Pacific en position relevée

Encombrement d'un safran pendulaire Monitor

Encombrement d'un safran pendulaire Windpilot Pacific

Les safrans pendulaires des systèmes les plus récents se laissent facilement extraire de l'eau. L'unique chose qu'il faut faire, c'est ralentir pour empêcher que le courant n'oppose une trop grande résistance. Ceux des systèmes traditionnels doivent être déverrouillés avant de pouvoir être relevés verticalement ou latéralement et fixés dans la fourche de retenue.

Poids et dimensions

Les premiers systèmes à safran pendulaire assisté avaient tout pour décourager les acheteurs potentiels puisqu'ils étaient très volumineux et pesaient plus de 35 kg/75 lb. Ce handicap appartient heureusement au passé. Les systèmes actuels ne pèsent plus qu'à peine 20 kg/45 lb et sont, de surcroît, bien plus robustes que leurs ancêtres.

Avantages et désavantages

Les systèmes à safran pendulaire assisté se distinguent par leur énorme force d'amplification. Cette force doublée d'un bon système de transmission leur permet de piloter même des bateaux de 18 m/60 ft et 30 tonnes. Dans des conditions normales, un safran pendulaire assisté est capable de piloter le bateau tant que celui-ci avance et que le courant à l'arrière de celui-ci est assez fort que pour l'orienter dans un sens ou dans l'autre. Les safrans pendulaires assistés génèrent une force égale à plusieurs fois celle générée par un simple système à safran auxiliaire.

L'unique inconvénient de ce type de régulateur d'allure réside dans le soin qu'il faut accorder aux drosses. Des drosses lâches, distendues ou trop longues risquent de nuire à l'efficacité du système, voire de le rendre totalement inopérationnel. Leur course n'étant que de 25 cm, toute transmission plus longue se traduira forcément par une perte de performance. Si les drosses n'ont aucune course de réserve dans des conditions normales, le safran perdra inévitablement le contrôle dans des conditions plus difficiles. Avec une barre à roue, la transmission n'est jamais aussi bonne ; le degré de détérioration dépend des caractéristiques du système.

En présence d'une barre à roue située au centre du bateau, la transmission de la puissance de pilotage laissera toujours quelque part à désirer du fait qu'elle est trop longue. L'utilisation de câbles en acier inoxydable peut être une bonne chose, mais fait surgir d'autres problèmes (tels qu'une usure prématurée des poulies).

Un safran pendulaire assisté ne peut pas servir de gouvernail de fortune car 1° il n'y a pas moyen d'immobiliser son bras de transmission et 2° sa pale, qui a une superficie d'à peine 0,1 m² / 1 ft², n'est pas assez grande que pour résister à des vagues susceptibles de détruire un safran principal. Les safrans pendulaires assistés ne sont généralement pas conçus pour résister aux mêmes charges qu'un gouvernail de fortune. Tout système, y compris ceux qui d'après le fabricant peuvent être utilisés en tant que tels, ont donc intérêt à être sérieusement renforcés pour stabiliser le bras de transmission du pendulum.

Le safran pendulaire du Sailomat 601 peut être stabilisé latéralement à l'aide de drosses attachées au balcon arrière. Le bras de transmission et le safran doivent être néanmoins renforcés pour empêcher qu'ils ne se brisent lorsqu'ils sont retenus par les drosses. Ce renforcement s'inscrit cependant au détriment de leur sensibilité (cf. *Sensibilité*).

Le safran pendulaire d'un régulateur d'allure Monitor peut être remplacé par un gouvernail de fortune plus grand, à condition d'en stabiliser latéralement le bras de transmission à l'aide de 6 drosses.

Systèmes à safran pendulaire assisté et girouette verticale : Hasler, Schwingpilot.

Systèmes à safran pendulaire assisté et girouette horizontale :

a. *avec engrenage conique d'amortissement des embardées* : Aries, Fleming, Monitor, Windpilot Pacific ;

b. *avec d'autres systèmes d'amortissement des embardées* : Cap Horn, Sailomat 601, Navik, Atoms.

Systèmes à double safran

Fonctionnement

Un système à double safran présente à la fois les avantages d'un système à safran pendulaire assisté puissant et ceux d'un safran auxiliaire qui fonctionne indépendamment du safran principal pour être le plus performant possible. Le safran principal est fixe. Il sert uniquement au réglage fin du cap, laissant au régulateur à double safran le soin d'effectuer les corrections de cap proprement dites, sans que le bateau ne devienne ardent.

Impulsion de guidage	=	*vent*
Puissance de pilotage	=	*eau*
Guidage	=	*safran auxiliaire*
Longueur du levier de puissance (PL)	=	*jusqu'à 200 cm / 80 in*

Applications

Ce type de système est la solution idéale lorsque :

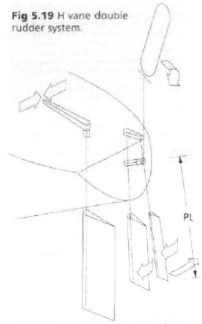

Fig 5.19 H vane double rudder system.

1. le bateau est trop grand ou trop lourd que pour être piloté par un simple safran auxiliaire ;

2. la transmission est trop longue pour un safran pendulaire assisté (surtout lorsque le cockpit est situé au centre du bateau) ;

3. vous comptez faire un long voyage avec un équipage réduit et que vous avez donc besoin d'un système performant sur lequel vous pouvez compter ;

4. la présence d'un gouvernail de fortune s'avère importante, par exemple sur des bateaux dont le safran principal n'est pas protégé par une guibre ;

5. le bateau est équipé d'une barre à roue hydraulique qui est uniquement compatible avec un système à double safran (cf. remarques à propos des barres à roue hydrauliques).

Les deux uniques systèmes à double safran au monde à avoir été produits en série sont :

Régulateur d'allure à double safran Windpilot Pacific Plus monté sur un Hallberg Rassy 36.

LE SAILOMAT 3040

Ce système a été conçu au départ pour des bateaux d'une longueur de 30 et 40 ft (d'où son nom de Sailomat 3040). La girouette horizontale envoie l'impulsion de guidage à un safran pendulaire dont le bras est incliné de 30?. Dans la partie haute de ce bras, il y a une pièce de raccord sur laquelle le safran auxiliaire est fixé de telle sorte qu'il exerce une force dans la direction opposée à celle du mouvement du safran pendulaire. L'inclinaison du bras amortit les embardées.

Ce régulateur d'allure produit entre 1976 et 1981 se caractérise par une tringlerie très compacte, dont la partie supérieure et inférieure servent également à fixer le régulateur d'allure sur le tableau. Cette configuration a pour désavantage que les charges en provenance du régulateur sont concentrées sur une très petite surface.

La poupe des bateaux GRP demande donc à être sérieusement renforcée pour pouvoir résister aux énormes contraintes exercées par le safran auxiliaire.

Les points de fixation d'un système à safran auxiliaire ou double safran ont donc intérêt à être largement espacés pour garantir une bonne répartition des charges sur le tableau. Le centre du tableau ayant une stabilité dimensionnelle inférieure à celle des zones périphériques, il est cependant clair que même si les points de fixation sont largement espacés, ils ne pourront empêcher les vibrations.

Sailomat 3040 sur un Hallberg Rassy 352.

Au-delà de son coût, ce système a pour principal inconvénient d'être peu convivial au quotidien. Pour démonter le safran pendulaire, il faut en effet non seulement démonter ses attaches, mais aussi l'extraire de son support – une opération doublement fastidieuse lorsqu'on pense qu'il faut la répéter à chaque fois qu'on manœuvre dans un port. Un autre désavantage est que le bras du safran pendulaire n'est pas en mesure d'osciller de plus de 20 degrés de chaque côté sous peine de heurter les butées de la boîte d'engrenages. Cette restriction pose des problèmes par forte houle. Si, lors de son tour du monde, Naomi James n'avait pas emmené à bord de son *Express Crusader* une malle pleine de safrans de réserve, elle ne s'en serait probablement jamais aussi bien sortie.

Le Windpilot Pacific Plus

Le régulateur d'allure Pacific Plus de Windpilot est commercialisé depuis 1986. Il est le seul système à double safran au monde à avoir été produit en série. Son concept trahit les énormes progrès dont les régulateurs d'allure ont fait l'objet en l'espace d'une quarantaine d'années. Le système est équipé d'un engrenage conique destiné à l'amortissement des embardées et d'une girouette horizontale inclinée de 20°, synonymes d'une meilleure performance de pilotage. Il est également doté d'une vis sans fin permettant un réglage à distance. Le safran pendulaire peut être relevé lorsque le système n'est pas opérationnel et le safran auxiliaire peut parfaitement faire office de gouvernail de fortune. Son design moderne est d'une grande élégance et son concept modulaire permet de poser le système et de déposer le bras de transmission du pendulum en un tournemain. Le safran auxiliaire est monté juste à l'arrière du bateau. L'effet de levier est de ce fait excellent et ajoute à la performance de pilotage. Le tableau ci-dessous donne un aperçu de la taille de la pale des différents types de safrans auxiliaires.

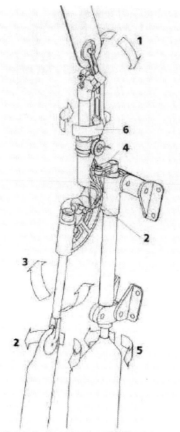

Pacific Plus I	0.27 m² / 2 ¾ ft²
Pacific Plus II	0.36 m² / 3 2/3 ft²
Pacific Plus III	0.50 m² / 5 ½ ft²

Fig 5.20 Windpilot Pacific Plus: **1** Windvane is deflected by wind and gives steering signal. **2** Via linkage, it turns the pendulum rudder. **3** Water flowing past pushes the pendulum arm out to one side; a linkage **(4)** connecting the pendulum arm to the auxiliary rudder **(5)** transmits the steering signal. **6** The vane mounting can be rotated through a full 360°.

Le safran pendulaire est monté juste derrière le safran auxiliaire. Ce raccord court empêche les pertes de transmission (dues au mou des organes de transmission ou frottement des roulements) typiques des systèmes à safran pendulaire assisté, dont la transmission de la puissance de pilotage est assurée par des drosses. Ce raccord consistait au départ en un joint à rotule, révolutionnaire à l'époque. Pour redresser le bras de transmission du pendulum hors de l'eau, il suffisait dès lors de desserrer ce joint, et non pas d'extraire le safran pendulaire de son support comme pour le Sailomat.

Depuis 1998, ce raccord à rotule entre le bras de transmission du pendulum et le safran auxiliaire du Pacific Plus est remplacé par un raccord à engrenage conique. Ce raccord rapide peut être libéré d'une main, même lorsqu'il est sous charge. Grâce à un dispositif spécial, le safran auxiliaire demeure centré lorsqu'il est hors d'usage et que le safran pendulaire est relevé. Le Pacific Plus dispose en plus d'un dispositif qui permet d'immobiliser la girouette dans l'axe central du bateau. Ce dispositif empêche le safran pendulaire de bouger quand on le met à l'eau. Dès que l'engrenage est à nouveau inséré, la girouette est libérée et le système devient opérationnel. Ce raccord est également livré d'office avec une goupille de fixation destiné à son montage éventuel sur une barre franche (pilote automatique).

Utilisation avec un système de pilotage hydraulique

Les systèmes à double safran ne peuvent fonctionner convenablement avec une barre à roue hydraulique qu'à condition que le circuit hydraulique soit parfaitement étanche. À la moindre fuite, le safran principal risque en effet de bouger sous l'effet des vagues ou de la pression de l'eau et de ne plus être dès lors en mesure d'assurer le réglage fin du cap ni d'empêcher le bateau d'être ardent. Les régulateurs d'allure à double safran dépendent entièrement de la surface latérale du safran principal ; ils ne peuvent piloter le bateau que dans la mesure où le safran principal est en position de départ.

Il se pourrait naturellement que votre système hydraulique encoure des dégâts et se mette à fuir en cours de route. Si cela se produit lors d'un long voyage, l'unique solution consistera à monter votre barre franche de réserve et de l'attacher avec des drosses, sous ou sur le pont, pour immobiliser le safran principal.

Raccord rapide entre le bras de transmission du pendulum et le safran auxiliaire du régulateur d'allure Pacific Plus 1998

Applications

Les systèmes à double safran sont surtout utilisés pour la navigation hauturière et ce, en raison de leur excellente performance de pilotage qui est un atout non négligeable en haute mer. Ils ont également leur place sur les bateaux à cockpit central, de plus en plus privilégiés par des constructeurs tels que Hallberg Rassy, Oyster, Westerly, Moody, Najad, Malö, Camper & Nicholson ou Amel. En revanche, ils ont moins de succès parmi les plaisanciers du fait qu'un safran auxiliaire est gênant pour manœuvrer dans un port.

Le Motiva 41, un typique yacht de croisière danois à cockpit central

Lorsqu'on part pour un long voyage avec un équipage réduit, la performance de pilotage d'un régulateur d'allure ne peut jamais être assez bonne. Toute défaillance de pilotage, qu'elle soit due au choix d'un système non adéquat ou à des problèmes de transmission dans le cas d'un système à safran pendulaire assisté, intervient toujours lorsque les conditions du vent et de la mer rendent le pilotage manuel particulièrement ardu et désagréable. Les systèmes à double safran sont le nec plus ultra en termes de puissance et de performance de pilotage puisqu'ils allient les avantages des safrans auxiliaires et ceux des safrans pendulaires assistés. En plus, ils ne posent aucun problème de transmission puisque le safran pendulaire est monté directement sur le safran auxiliaire et que le safran auxiliaire, relayé dans ses fonctions de pilotage par le safran principal, est entièrement dédié aux corrections de cap, et a un excellent effet de levier attribuable à son montage juste derrière le bateau.

D'aucuns affirment qu'un safran pendulaire est plus performant par l'intermédiaire d'un safran principal parce ce dernier offre une plus grande surface que n'importe quel safran auxiliaire. Cette théorie témoigne d'une méconnaissance des interactions entre les différents organes de pilotage. Le safran principal est conçu pour s'acquitter de toutes les tâches de pilotage envisageables. Or, les angles de rotation du safran destinés aux corrections de cap sont toujours petits. La course limitée des drosses et les inévitables pertes de transmission (ardence, allongement, mou, jeu, entre la barre à roue et le safran principal, frottements au niveau des roulements du safran principal) réduisent en tout cas l'angle sous lequel safran pendulaire peut faire tourner le safran principal.

Limites de fonctionnement

Qui dit absence de vent, dit absence de signal de pilotage. Un régulateur d'allure sensible peut toutefois se mettre à fonctionner dès que le vent remplit les voiles et propulse le bateau.

En présence d'un safran pendulaire assisté, le bateau doit avoir une vitesse d'environ 2 nœuds pour que l'eau en aval de la coque puisse générer la force dont le safran pendulaire et les drosses ont besoin pour faire pivoter le safran principal. Malheureusement cela implique que la mer soit calme. Si le vent est tombé, mais que les voiles faseyent sous l'effet de la houle résiduelle, le bateau perdra de la vitesse et le régulateur d'allure sera échec et mat. Dans ce cas, l'unique alternative est de s'en remettre à l'autopilote.

L'ULDB *Budapest* juste après son départ de Slovénie en juin 1996

Des vents plus puissants permettent à la girouette de générer des impulsions de guidage plus fortes et la vitesse accrue du bateau augmente la puissance en provenance du safran pendulaire. Si le bateau est bien réglé – autrement dit, si la puissance de pilotage est faible – le safran pendulaire ne déviera que sur une courte distance et n'exercera qu'une force modérée sur le safran principal. Tant que le safran n'est pas appelé à exercer une pression supérieure, le système ira au bout de ses forces. Si le bateau demande une force de pilotage supérieure, le safran pendulaire s'écartera davantage de la verticale augmentant son effet de levier et générant une puissance de pilotage nettement supérieure. Un safran pendulaire assisté dûment amorti présente donc des avantages en termes de registre de conditions et de réserves de puissance : plus le vent est fort et plus le bateau va vite, plus la qualité de pilotage sera bonne.

Ceci vaut tant que la mer n'est pas déchaînée au point de vous obliger à barrer manuellement. Un régulateur d'allure ne voit pas arriver les grosses vagues et continue de piloter le bateau comme si de rien n'était, ce qui peut être dangereux à la fois pour le bateau et l'équipage. Le navigateur sud-africain aveugle Geoffrey Hilton Barber qui, en 1997, a traversé l'océan Indien de Durban à Freemantle en sept semaines, s'est même fié à son Windpilot Pacific en présence de vents de 65 nœuds à sec de toile.

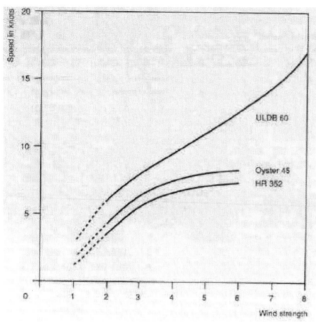

Fig. 5.21 Cette figure illustre le rapport entre la vitesse du bateau et la vitesse du vent.

Si nous avons opté pour un angle de rotation de 6°, qui est plutôt excessif, c'est pour pouvoir illustrer les forces de traction qui sont théoriquement possibles. Dans la pratique, les angles de rotation sont de l'ordre de 0 à 3° puisque les forces de traction au niveau du safran principal d'un bateau dûment réglé sont nettement inférieures. La règle est, en principe, que plus le bateau est mal réglé, plus les forces de traction au niveau du safran principal devront être grandes et plus l'angle de rotation du safran pendulaire devra être grand avant que la girouette n'envoie un signal de correction de cap et que le safran pendulaire/bras de transmission du pendulum ne se remette à la verticale. Cela se traduit forcément par de plus grandes embardées. Plus le système réagit rapidement, moins la course sera chaotique.
Pour les bateaux dont la vitesse maximale (qui dépend de la longueur de flottaison) est limitée par leur configuration, la courbe s'arrêtera dès l'instant où le bateau navigue à plein régime.
Pour les bateaux dont la vitesse maximale est nettement supérieure, voire illimitée (ULDB, catamarans), la courbe continuera de monter proportionnellement. Par gros temps, le régulateur d'allure doit déclarer forfait au vent lorsque l'accélération du bateau due à une brusque abattée (gouvernail ou houle) est telle qu'elle déplace l'angle du vent apparent, le mettant hors de portée de la girouette. Ce qui arrive généralement, c'est que le bateau accélère brutalement du fait qu'il navigue soudain allures portantes et que la girouette, ne détectant plus de différence, n'envoie aucun signal de correction de cap (cf. Limites de fonctionnement).

Souvenez-vous : Les régulateurs d'allure sont incapables de piloter de façon fiable un bateau planant, car les principes décrits ci-dessus impliquent la présence d'une impulsion de guidage claire et nette. Dès que la girouette hésite, vous risquez à tout moment un empannage. Il faudrait être vraiment irresponsable pour risquer de perdre son mât parce qu'on lésine sur le temps passé à la barre.

Courses océaniques

L'expérience nous a montré que, quelle que soit leur taille, les bateaux à coque ultra légère (ULDB) sont trop rapides que pour être compatibles avec un régulateur d'allure. À bord de ces bateaux ultra sensibles, le moindre changement de vitesse du vent se répercute sur la vitesse du bateau qui, à son tour, modifie l'angle du vent apparent. Sous l'effet de l'accélération et la décélération du bateau au gré des rafales et des accalmies, l'angle du vent apparent se déplace en avant ou en arrière. Un régulateur d'allure réglé pour piloter le bateau sous un angle du vent bien précis devrait par conséquent, à chaque changement de vitesse du vent, lofer ou abattre pour maintenir cet angle.

La plupart des bateaux monocoques et la quasi totalité des bateaux de croisière ont une vitesse qui est limitée par leur longueur de flottaison. Leur accélération n'est par conséquent pas de nature à modifier fondamentalement l'angle du vent apparent. Il en va différemment des ULDB monocoques dont l'étrave, la forme de la coque, la quille, le déplacement et la voilure sont conçus pour faire avancer le bateau le plus vite possible, même en présence de vents modérés. Leur design favorise les fortes accélérations qui vont forcément de pair avec d'énormes fluctuations au niveau de l'angle du vent apparent.

Ce type de navigation est au-dessus des capacités de n'importe quel régulateur d'allure. Ce genre de course sauvage inhérent à n'importe quel système dont le fonctionnement est purement basé sur l'angle du vent apparent se traduira tôt ou tard par de graves problèmes tels qu'un brusque empannage. Les choses ne sont guère plus brillantes lorsqu'on navigue près du vent. Même avec les voiles au près, la moindre déviation sous le vent (due à la houle ou une embardée) se traduit par une accélération soudaine du bateau qui, à son tour, déplace l'angle du vent apparent vers l'avant. La girouette est incapable de détecter si le bateau navigue plus lentement trop au vent ou plus rapidement trop peu au vent, car l'angle du vent apparent est le même dans les deux cas. La girouette est échec et mat, car il n'y a pas moyen de lui apprendre à faire une distinction entre deux différentes situations qui ont les mêmes effets physiques. Dans de telles conditions, il n'y a que les autopilotes qui sont capables d'apporter une solution satisfaisante. Les bateaux à coque planante naviguant allures portantes ou parfois même près du vent, échappent à la maîtrise de tout régulateur d'allure. Dans son numéro 9/95, *Cruising World* écrit à propos de l'utilisation de régulateurs d'allure sur les bateaux participant à la BOC que « ... les bateaux modernes ont des taux d'accélération et de décélération tels que les régulateurs d'allure n'ont leur place que peu d'entre eux et uniquement sur des bateaux traditionnels. »

✤ 6 ✤
Choisir un système

Matériaux

Les matériaux entrant dans la fabrication des régulateurs d'allure sont généralement dictés par leur mode de production. La plupart des régulateurs de fabrication artisanale sont en acier inoxydable. C'est à ces régulateurs, dont l'aspect fonctionnel prime sur l'aspect esthétique, que doit être imputé le fait que de nombreux navigateurs répugnent à installer un régulateur d'allure qui risque de déparer leur bateau.

Un autre aspect est la précision d'assemblage. Les systèmes de fabrication artisanale ont toujours un peu de jeu (comme les coudes soudés par exemple). Le contre-argument selon lequel des profilés tubulaires en acier inoxydable sont plus faciles à réparer, est démenti dans la pratique : rares sont les bateaux qui ont à leur bord les outils nécessaires pour redresser un système endommagé par une collision.

Les systèmes produits industriellement sont généralement en aluminium. La technique du moulage en sable ou sous pression et l'utilisation de machines CNC permettent de fabriquer des pièces de dimensions parfaitement identiques. Cette technique de fabrication offre en outre au concepteur une plus grande liberté, lui permettant d'accorder plus d'attention à l'aspect esthétique.

Quand nous vous disions que les régulateurs sont en aluminium, ce n'est pas tout à fait exact. En fait, ils sont réalisés dans un alliage d'aluminium AlMg 3, même si un alliage d'aluminium AlMg 5, qui est connu pour être parfaitement indifférent à l'eau salée, eut été préférable. Pour les bateaux en aluminium, on utilise par exemple un alliage d'aluminium AlMg 4.5, un matériau qui résiste à l'eau de mer, même lorsqu'il n'est pas traité. Les composants des régulateurs d'allure sont soit protégés par un revêtement (Sailomat), soit anodisés (Hydrovane, Aries, Windpilot Pacific). Windpilot est l'unique fabricant à utiliser d'office un alliage d'aluminium AlMg 5 de qualité supérieure.

Roulements

Les roulements à billes, à aiguilles et auto-alignants peuvent être soumis à de lourdes contraintes, comme c'est le cas dans des winchs, poulies du génois et dispositifs de montage des voiles et du gouvernail. Les charges inhérentes à la transmission d'une impulsion de guidage émise par la girouette telles qu'exercées sur les organes d'accouplement sont faibles et ne demandent donc pas de mesures particulières. Ces roulements robustes peuvent être utilisés pour le palier principal et le palier du bras de transmission du pendulum à condition d'être équipés d'un joint susceptible de les protéger contre l'infiltration d'eau de mer. Les roulements à billes qui ne sont pas parfaitement étanches tendent à gripper sous l'effet des cristaux de sel qui s'y accumulent et demandent donc à être régulièrement nettoyés et lubrifiés.

Si, poussé par la curiosité ou par l'ennui, il vous arrivait de démonter votre régulateur d'allure, vous seriez étonné de voir la quantité de poussière en provenance de l'air et de l'eau qui s'accumule dans les roulements en l'espace d'un an. En mer, les cristaux de sel peuvent être facilement éliminés avec un peu d'eau (non salée), mais si votre bateau a séjourné un certain temps dans un port situé à proximité d'une ville, vous risquez d'y trouver également d'autres dépôts néfastes en provenance des eaux polluées du port. Toute personne ayant déjà tenté de démonter un roulement, vous le dira : non seulement il faut avoir la main stable, mais aussi des nerfs d'acier et surtout une bonne mémoire pour remonter le tout comme il se doit !

Les paliers lisses en polyuréthane, POM, Delrin ou Teflon PTFE glissent bien du fait qu'ils absorbent un certain taux d'humidité (air/eau) et qu'ils sont légèrement plus grands. Les cristaux de sel et la poussière qui s'accumulent dans les roulements affectent à peine leur bon fonctionnement. Les paliers lisses sont plus fiables et robustes à long terme et plus faciles à remplacer.

a

Voici, en photos, les différentes phases intervenant dans la production d'aluminium moulé en sable

  a. Matrice en bois du Pacific Light
  b. Assemblage des différentes pièces sur la plaque de moulage
  c. Réalisation de l'empreinte dans le sable
  d. Extraction du moule de sable
  e. Le résultat

b

c
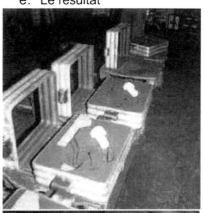

d

e
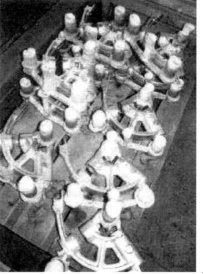

Entretien

L'époque où les régulateurs d'allure Aries traditionnels devaient être régulièrement lubrifiés aux endroits marqués d'un point rouge est définitivement révolue... au grand bonheur des navigateurs d'ailleurs. Les régulateurs d'allure actuels sont robustes, durables et peu exigeants. En plus, ils ne s'usent pour ainsi dire pas. Nombreux sont les systèmes qui, sauf collision sérieuse, ont une longévité de 30 ans ou plus. À l'issue d'un tour du monde, les régulateurs d'allure Windpilot ne présentent pas la moindre trace d'usure même s'ils ont pris un ou deux coups en cours de route.

Leur entretien minimal se résume au nettoyage des roulements, à un contrôle de l'ensemble des vis et boulons et, de temps en temps, à la remise en peinture de l'aérien de la girouette et de la pale du safran.

Attention : Toute lubrification des paliers lisses peut poser des problèmes en ce sens que l'huile ou la graisse risque de se solidifier ou de réagir à l'eau de mer et de nuire ainsi à leur glissement. Il y a toujours des navigateurs qui refusent d'admettre qu'un palier lisse n'a pas besoin de graisse, de vaseline ni de silicones en aérosol et sont alors étonnés que leur régulateur se raidisse.

Conseil : La quincaillerie au niveau du gréement et des espars ainsi que les raccords à vis échapperont pendant des années à la corrosion à condition d'être enduits de lanoline. La lanoline ou graisse que l'on extrait du suint du mouton, est en effet une substance parfaitement étanche à l'eau. C'est d'ailleurs la raison pour laquelle la toison du mouton ne se mouille pas quand il pleut ! Vous avez donc intérêt à avoir toujours un pot de lanoline à bord, d'autant qu'elle est aussi un baume pour les mains ! Pour empêcher toute forme de corrosion électrolytique entre les différents matériaux, vous pouvez également enduire les surfaces de contact avec de la pâte anticorrosion Duralac.

Régulateurs d'allure bricolés

Il y a vingt ans, les régulateurs d'allure faits maison auraient fait l'objet de tout un chapitre dans un livre comme celui-ci. Il faut dire qu'il y a vingt ans, la taille moyenne des bateaux compatibles avec un régulateur d'allure était nettement inférieure et se prêtait donc mieux à ce genre d'alternative. De nos jours, les voiliers de haute mer ont une longueur moyenne de 12 m / 40 ft. Nombreux sont même ceux qui sont nettement plus longs. À cela s'ajoute que la plupart des navigateurs actuels disposent de moyens financiers plus importants et qu'au vu des systèmes high-tech en vente sur le marché, les systèmes bricolés perdent de leur attrait.

La bibliographie du présent ouvrage fait état de livres plus anciens qui parlent de ce sujet et qui intéresseront donc certainement les navigateurs qui disposent de moyens plus modestes et souhaitent épargner de l'argent en bricolant leur propre régulateur d'allure. Sachez toutefois qu'il existe un marché de seconde main où vous trouverez un vaste choix de régulateurs d'allure pour bateaux de petite taille, dont certains sont encore en parfait état. Pour vous aider à choisir un régulateur d'allure d'occasion, nous avons également repris dans la liste figurant au chapitre 11 les modèles plus anciens que l'on ne produit plus actuellement.

Lorsque vous envisagez d'entreprendre de longs voyages à bord d'un bateau de petite taille, nous ne saurions cependant assez insister sur le fait que vous avez intérêt à opter pour un régulateur valable et dûment éprouvé plutôt que pour un système bricolé qui vous fait faux bond dès que la mer est un peu plus houleuse. Ne perdez jamais de vue que si votre régulateur d'allure vous donne du fil à retordre, vous devrez prendre sa relève à la barre ou mettre prématurément un terme à votre voyage.

La construction d'un nouveau bateau

À la vue des nombreux bateaux, produits en série ou exclusifs, destinés à de longs voyages, on constate que les systèmes de pilotage automatiques ne sont pas toujours choisis ou installés à bon escient. Nombreux sont les navigateurs qui à l'achat d'un yacht de marque s'en remettre tout simplement au distributeur. Le bateau est alors livré avec toute une série d'accessoires électriques et électroniques les uns plus complexes que les autres, qui en fait ne démontreront leur utilité (ou inutilité) qu'avec le temps. Il existe aussi des constructeurs qui refusent d'installer sur leurs voiliers de haute mer des régulateurs d'allure ou des échelles de bain excentrées en option de crainte de perturber la production. Une autre explication possible est que lors du processus décisionnel, l'acheteur d'un nouveau bateau, trop préoccupé par d'autres aspects, omet de demander de déplacer l'échelle de bain – une adaptation qui ne demande pourtant qu'un minimum de travail. Des très nombreux yachts Hallberg Rassy qui sont actuellement équipés d'un régulateur d'allure Windpilot, cinq seulement en étaient équipés au départ de l'usine !

Lorsqu'ils achètent un nouveau bateau, les navigateurs semblent cependant être de plus en plus conscients de l'importance d'un autopilote ou d'un régulateur d'allure choisi à bon escient pour éviter les problèmes, un sujet sur lequel nous reviendrons au chapitre 7.

Si vous considérez toutes les exigences en matière de pilotage automatique, vous constaterez que vous avez intérêt à équiper votre bateau non seulement d'un régulateur d'allure, mais aussi d'un petit autopilote qui agit sur le safran principal. Ce double système a l'avantage d'être à même de gérer n'importe quelle condition du vent et de la mer et d'être dans l'ensemble moins onéreux. Les constructeurs installent généralement à bord de leurs bateaux des autopilotes très puissants qui, en combinaison avec un régulateur d'allure, s'avèrent surdimensionnés puisque ne servant en l'occurrence que lorsqu'on navigue en eaux calmes et au moteur.

Ces voiliers ancrés dans le port de Las Palmas (en novembre 1995)
sont équipés d'office d'un système de pilotage automatique.

Lorsqu'on fait construire un voilier de haute mer "sur mesure" appelé à faire de longs voyages, il faut tenir compte du fait qu'une fois en mer, c'est le système de pilotage automatique qui fera le gros du travail. Il est donc primordial que le bateau soit construit en fonction des caractéristiques de fonctionnement du système envisagé – par exemple un régulateur d'allure. Pour un système à safran pendulaire assisté, le bateau a toujours intérêt à être équipé d'une barre franche (cf. *Transmission vers la barre franche)*. Même les bateaux plus longs et plus lourds peuvent être éventuellement équipés d'une barre franche. Certains navigateurs lui préféreront une barre à roue, une question de goût personnel ou parce qu'ils envisagent d'équiper leur bateau d'un cockpit central. Les lacunes de la barre à roue en termes de transmission de puissance vers le safran pendulaire assisté, peuvent être aisément comblées en se rabattant sur la barre franche de secours. De nombreux bateaux français équipés d'une barre à roue sont dotés d'un dispositif au niveau duquel la force de la barre est roue est directement transmise par des drosses à la barre franche de secours, plutôt qu'à un quadrant situé sous le pont. Pour reconnecter le safran pendulaire assisté, il suffit de détacher les drosses qui relient la barre franche de secours à la barre à roue. Ce système permet de se passer d'un système à double safran, qui est relativement onéreux.

Une barre franche est non seulement plus fiable et plus simple qu'une barre à roue. Elle signale aussi plus clairement les erreurs de réglage ou de compensation (comme par exemple la nécessité d'ariser les voiles) et montre clairement qu'elle est soumise à dure épreuve lorsque le bateau est trop ardent.

Certains bateaux, dont ceux dotés de deux postes de pilotage, impliquent, en raison de leur configuration, l'installation d'un système de pilotage hydraulique. Les systèmes à safran pendulaire assistés sont uniquement compatibles avec un système de pilotage hydraulique (cf. *Barres à roue hydrauliques, p. 71*). Ceci étant, il faut dans la plupart des cas avoir recours à un système à safran auxiliaire ou à double safran. Dans ce cas, il est essentiel de pouvoir bloquer le système hydraulique et immobiliser le safran principal d'une façon fiable, car si le safran principal est le jouet des vagues, le régulateur d'allure fonctionnera pour rien. Il se pourrait qu'il faille immobiliser le safran principal en l'attachant à la barre franche de secours, ce qui est tout sauf pratique puisqu'il faudra libérer cette dernière chaque fois que le safran principal est déréglé.

Le safran principal a intérêt à être dûment compensé pour maîtriser la puissance de pilotage. Faible puissance de pilotage rime en effet avec sensibilité accrue du régulateur et économie d'énergie en présence d'un autopilote.

Pour ce qui est de la configuration du pont, il faut tenir compte du fait que, lorsqu'on navigue près du vent, la girouette fonctionne mieux quand elle n'est pas aux prises avec des turbulences. Les fauteuils, les canots de sauvetage, les cagnards sur les filières, les cabines à toit haut, etc. situés à proximité du tableau sont autant d'obstacles qui réduisent la sensibilité d'une girouette. Les Spray Hoods et autres structures en saillie situés plus loin de la poupe ne posent pas ces problèmes, car aucun bateau ne navigue sous un angle de moins de 35° par rapport au vent et sous le vent, la girouette est entièrement tournée vers le large.

Les boulons de fixation d'un régulateur d'allure doivent être accessibles de l'intérieur du bateau et doivent le demeurer, même lorsqu'on effectue de travaux d'aménagement intérieur à hauteur de la poupe (comme l'aménagement d'une cabine à l'arrière du bateau). Si vous êtes appelé à monter votre régulateur d'allure sur un bateau achevé et que la cabine arrière a des parois en bois, nous vous conseillons de percer, de l'extérieur, des trous du même diamètre que celui de la tige des boulons à travers la coque et la paroi de la cabine, et d'agrandir ensuite les trous à l'intérieur à l'aide d'une perceuse circulaire afin de pouvoir facilement accéder aux boulons. Une fois que le système est monté, rien ne vous empêche de masquer ces trous avec une plaque en bois, qui se laisse facilement démonter le cas échéant.

Un autre aspect important lors de la construction d'un bateau est la configuration du tableau. Les tableaux modernes (de type *Scoop*) avec plate-forme de bain intégrée se prêtent parfaitement à l'installation d'un régulateur d'allure, à condition que cette plate-forme ne dépasse pas trop, ce qui compliquerait le montage. Si vous avez opté pour un système à double safran, vous pouvez soit installer partiellement le safran auxiliaire derrière la plate-forme, soit faire passer son bras à travers la plate-forme ou, mieux encore, aménager à cette fin une découpe à l'arrière de la plate-forme. Dans les trois cas, le pendulum sera parfaitement libre et capable de balancer hors de l'eau.

Un autre point à prendre en considération si vous comptez installer une couchette de quart dans la cabine arrière est le suivant. Les autopilotes qui agissent directement sur le gouvernail et sont situés sous cette cabine sont généralement bruyants et ont déjà fait fuir plus d'un navigateur. Si vous persistez dans votre intention, vous avez intérêt à opter pour un système de pilotage hydraulique qui est en tout cas nettement moins bruyant qu'un système mécanique.

Trop nombreux sont les navigateurs qui décident d'installer un régulateur d'allure en dernière minute. Or, à l'approche d'un départ, la poupe est généralement déjà très encombrée. Il faut dès lors faire des compromis qui causent des nuits blanches tant au propriétaire qu'au constructeur du bateau. Ce n'est cependant pas toujours la faute du propriétaire. Certains bateaux disposent d'équipements particuliers qui rendent le montage plus difficile et impliquent la pose de bâtis supports supplémentaires (souvent très lourds). Les bateaux qui posent le plus de problèmes sont ceux équipés d'une plate-forme de bain à hauteur du pont. Dans de nombreux cas, l'unique solution consiste alors à installer sous cette plate-forme une lourde structure tubulaire – une solution qui souvent effraie les propriétaires. Morale d'histoire : toute erreur d'aménagement de l'arrière du bateau due à un manque de prévoyance est très difficile à rectifier par la suite et toute intervention ultérieure s'inscrira au détriment de l'aspect esthétique du bateau.

Tableau de type *Sugar Scoop* sur un Carena 40 équipé d'un Windpilot Pacific Plus et prêt à participer à une course transatlantique (en novembre 1996).

Tableau de type *Sugar Scoop* sur un Taswell 48 équipé d'un Windpilot Pacific Plus. Le bras de transmission du pendulum est relevé.

Types de bateau

Choisir un bateau à bon escient est un exercice périlleux. On risque en effet de faire des erreurs d'appréciation qui, malheureusement, ne se manifesteront qu'au moment où on est confronté à certaines situations spécifiques, pour ne pas dire épineuses, qui interviennent généralement en pleine mer et par gros temps. Cette brève description des types de bateaux les plus courants devrait vous aider à ne pas vous laisser prendre au piège.

Bateaux à quille longue

Ce bateau de forme classique a été pendant des années en tête des ventes. Sa quille longue garantissait non seulement une bonne tenue de cap et une bonne navigabilité, mais constituait également une solide colonne vertébrale pour l'embarcation. Le gouvernail était fixé à l'extrémité arrière de la quille. La membrure en forme de S doublée d'une membrure en V plus profonde à l'avant du bateau était synonyme de mouvements souples et donc de confort, y compris sous le pont.

Les courageuses missions de sauvetage du navigateur norvégien Colin Archer, qui avec son cotre non motorisé est parti à la rescousse de plus d'un pêcheur pris dans les tourmentes de l'Atlantique Nord, ont fait date dans les annales de navigation. Elles ont également inspiré de nouveaux modèles qui riment avec navigabilité illimitée. La marque Colin Archer est bien connue de tous les navigateurs.

Bernard Moitessier était, lui aussi, un fervent adepte des bateaux à quille longue. Ce n'est donc pas un hasard si le *Joshua* était équipé d'une telle quille. C'est à bord de ce bateau que, lors d'une course autour du monde, Moitessier a créé la surprise en abandonnant, alors qu'il était en tête, pour mettre le cap sur les mers du Sud. Ce bateau est toujours construit et commercialisé sous le nom de Joshua. Sa forme actuelle diffère à peine de l'original.

Ce qui nous intéresse dans le cadre de notre propos, ce sont les performances de pilotage de ce type de bateau. Les bateaux à quille longue tiennent très bien le cap, mais quand ils dérivent, ils exigent également une puissance de pilotage considérable pour être remis sur le droit chemin. Ils doivent donc être équipés d'un régulateur d'allure à force amplifiée et/ou d'un autopilote de taille raisonnable. Pour manœuvrer dans un port avec ce genre d'embarcation, il faut avoir les nerfs solides et garder la tête froide (ou équiper le bateau d'une paire de bonnes défenses !).

Pour ce qui est de la question de savoir si les bateaux à quille longue sont plus fiables que leurs homologues dotés d'une quille plus courte et d'un gouvernail monté sur un aileron distinct, les avis sont partagés. Ce qui est certain, c'est que leur stabilité relative est peu compatible avec de brusques manœuvres visant à éviter par exemple de grosses vagues. Une quille longue ayant une sérieuse surface latérale, le bateau ne dérivera que légèrement par gros temps et risquera donc de chavirer plus facilement. En revanche, la position du gouvernail qui est protégé par la quille et est solidement arrimé de haut en bas est un atout sécurité indéniable.

Bateaux à quille fine et aileron

Dans les années soixante et soixante-dix, le bureau R&D de Sparkman & Stephens a développé de nombreux yachts qui sont encore de grands classiques à l'heure actuelle. Les anciens Swan étaient tous équipés d'une quille longue et fine et d'un gouvernail qui était monté sur un aileron distinct, très robuste. La membrure de cette quille était similaire à celle des quilles longues. Parfois, on leur préférait une membrure en V qui est garante d'une navigation plus douce et confortable, et de moins de remous sous le bateau. Ces yachts se distinguaient également par leur excellente navigabilité, mais étaient plus rapides en raison de leur faible surface mouillée et avaient un meilleur comportement au moteur – y compris en marche arrière.

Une fine quille se laisse manœuvrer assez facilement. Même si une correction de cap demande dès lors de moins puissance, la surface de la quille est toujours assez grande que pour garantir une bonne tenue de cap. Les puissances de pilotage requises par une fine quille sont inférieures à celles d'une longue quille car une partie du gouvernail est située en dessous de l'aileron. Les bateaux à fine quille et aileron sont tout aussi compatibles avec des autopilotes que des régulateurs d'allure.

Ce type de quilles est très apprécié des navigateurs en route vers le Sud qui, chaque année, font escale aux îles Canaries. Tous les bateaux de croisière classiques tels que les Hallberg Rassy, Moody, Najad, Nicholson, Oyster, Amel et Westerly en sont équipés. Le moindre échouage par gros temps ou collision avec un objet flottant suffit à convaincre tout navigateur de l'avantage de ce robuste aileron qui protège le gouvernail.

Bateaux à quille profonde et gouvernail compensé

Ces bateaux plus rapides et plus faciles à manœuvrer dans un port sont largement diffusés de nos jours. Leur coque trapézoïdale à l'avant et large et plate à l'arrière leur confère une bonne longueur de flottaison (et rapidité) qui, à son tour, s'inscrit au profit d'un meilleur surf, mais nuit au confort à bord. Ces bateaux ne fendent pas les vagues, mais les heurtent de plein fouet. Ils sont bruyants et peu confortables, mais comme cette différence de confort ne se manifeste que lors de longs voyages, rares sont les navigateurs qui en sont conscients.

Vu la vulnérabilité de la petite surface de contact entre la quille et la coque et du gouvernail qui n'est pas protégé, il peut paraître aberrant que d'aucuns navigateurs se préparant à faire un long voyage en haute mer, ne pensent pas à emmener un gouvernail de fortune.

Les bateaux à fine quille se laissent facilement piloter par un régulateur d'allure dans la mesure où ils répondent au doigt et à l'œil à la barre et que les impulsions de guidage sont par conséquent rapidement converties en des corrections de cap. Ceci vaut également en présence d'autopilotes, mais le fait que certains bateaux à fine quille soient plus sensibles aux embardées risque de mettre à dure épreuve l'intelligence de leur électronique.

Les bateaux planants destinés à la navigation extrême échappent à la maîtrise de n'importe quel régulateur d'allure (cf. Limites de fonctionnement, p. 91). Seul un autopilote puissant et rapide doublé de pompes hydrauliques à l'avenant est capable de les dompter.

La coque fuselée de ce Sparkman & Stephens est garante d'un grand confort de navigation.

Les yachts Colin Archer sont réputés pour leur excellente navigabilité. Ici, un Hans Christian dans la baie de Chesapeake (1996).

Un Concordia d'Abeking & Rasmussen à Rockport Marina, dans le Maine en 1996.

Bateaux à dérive centrale ou bouchain lesté

Ces bateaux, dont le ballast est situé plus en hauteur, sont plus larges et donc également plus stables et faciles à piloter. C'est vrai que plus le gîte est grand, plus le bateau sera ardent et plus le système de pilotage automatique aura du fil à retordre.

Leur étrave trapézoïdale est plus conçue pour la navigation dans des baies peu profondes qu'en haute mer. Certains bateaux français de ce type sont équipés d'une seconde dérive centrale, de plus petite taille, qui facilite le pilotage.

Coque d'un yacht moderne à gouvernail compensé : rapide, mais pas vraiment confortable.

La quille et le gouvernail de ce Dehler 36 risquent d'encourir de
sérieux dégâts en cas d'échouage.

Les bateaux à bouchain lesté
naviguent très bien vent arrière. Une
seconde dérive centrale facilite leur
pilotage. Ce Via 43 français baptisé
Octopus a fait le tour du monde avec
un Windpilot Pacific.

Multicoques

Catamarans

Avec leur ligne de flottaison relativement longue et absence totale de ballast, les catamarans tiennent très bien le cap. La pression à exercer sur le gouvernail étant peu importante, ils se laissent facilement piloter.

Lorsqu'ils sont pris dans une rafale de vent, ils ont cependant tendance à accélérer rapidement. L'angle du vent apparent est donc sujet à d'énormes variations. Dès que le vent tombe, ils ralentissent aussi beaucoup plus brusquement et le vent tourne vers l'arrière. Ils réagissent donc tout autrement que les monocoques qui, à circonstances égales, gîtent davantage mais prennent moins de vitesse ; l'angle du vent apparent se déplace sérieusement vers l'avant.

C'est pourquoi la plupart des propriétaires de catamarans ne se fient qu'à des autopilotes. Cela n'enlève cependant rien au fait que pour de longs voyages, un régulateur d'allure peut s'avérer rudement utile.

Les systèmes à safran pendulaire assisté donnent de très bons résultats sur un catamaran. Ce type de bateau est en effet capable d'atteindre de très hautes vitesses qui permettent au safran pendulaire de générer une puissance de pilotage considérable. La girouette fonctionnera à merveille tant que la puissance du vent et l'angle ne varient pas. Lorsque le vent souffle par rafales, elle ira dans tous les sens et sera tout sauf performante. Dans de telles conditions, on a intérêt à la démonter et à utiliser un petit autopilote (de cockpit).

Ce catamaran de 15 m/48 ft ancré à Las Palmas a fait le tour du monde avec un Windpilot Pacific.

Un système à safran pendulaire assisté ne peut fonctionner correctement que si la transmission de la puissance de pilotage vers le safran principal s'opère en douceur. Étant donné que sur un catamaran, la barre à roue est normalement située loin de la poupe, il est exclu de faire passer les drosses par l'adaptateur. La transmission vers la barre franche de secours ne fonctionnera quand dans la mesure où le mécanisme de la barre à roue est désaccouplé. Cela implique donc que le skipper puisse à tout moment accéder facilement à la barre franche de secours pour s'en servir le cas échéant.

Une meilleure solution consiste à désolidariser les deux safrans, de relier le safran n°1 à la barre à roue destinée à piloter le bateau manuellement ou à ajuster le cap en présence d'un régulateur d'allure, et de relier le safran n°2 au safran pendulaire assisté via la barre franche de secours et les drosses. Les systèmes de pilotage hydrauliques peuvent être adaptés de la même façon.

Les systèmes à safran auxiliaire et double safran ne sont pas faits pour être montés sur des catamarans. Le barrot arrière est trop haut que pour permettre de monter le système assez près de l'eau. Même en supposant qu'il y ait moyen de le monter sur le barrot arrière, le safran auxiliaire n'en demeurerait pas moins trop exposé aux objets flottants.

Trimarans

Les trimarans ne sont équipés que d'un seul gouvernail qui, bien entendu, s'avère plus facile à contrôler qu'un double safran. Les systèmes à safran pendulaire assisté ne sont compatibles qu'avec des trimarans dotés d'une barre franche ou d'une barre à roue mécanique. Les systèmes à safran auxiliaire sont moins indiqués, car le gouvernail hors bord de la plupart des trimarans empêche de les positionner correctement. Ce type de système est également trop faible que pour composer avec la vitesse d'un trimaran. Quant aux systèmes à double safran, ils sont exclus, car les deux safrans devraient être juste derrière le safran principal qui dépasse et, dans ce cas, le safran auxiliaire serait trop proche du safran principal.

Gréement : sloop, cotre, yawl ou ketch

Dans le temps, les yachts à quille longue traditionnels étaient généralement équipés d'un gréement yawl ou ketch mieux équilibré. Or, par gros temps, le foc avait, à lui seul, bien du mal à maintenir le bateau sur le bon cap. Sous l'effet de la vitesse et du gîte, le centre de résistance latérale se déplaçait dangereusement vers l'avant, générant une ardence qui devait être compensée par une voile d'artimon ou un tape-cul.

Les yawls sont toujours un plaisir pour les yeux. Ce splendide yacht traditionnel a été photographié à Newport, Rhode Island, en 1996.

De nos jours, la plupart des yachts de haute mer sont équipés d'une quille fine et d'un aileron (quille et gouvernail distincts). Comme le gouvernail et l'aileron sont situés fort en aval de la poupe, leur centre de résistance latérale se déplace beaucoup moins lorsque la vitesse et le gîte augmentent. Ils tiennent bien le cap et n'ont pas besoin d'un second mât. C'est vrai que, grâce à leur configuration, les coques actuelles offrent un haut niveau de performance sans second mât.

Un artimon dont la bôme dépasse du tableau risque de gêner la girouette.

Un artimon dont la bôme ne dépasse pas du tableau est préférable.

Une voile d'artimon a beau ne poser aucun problème et être efficace, elle exige la pose d'un second mât qui coûte de l'argent et augmente le poids de la mâture. À cela s'ajoute que ce mât est rarement utilisé car, dans les alizés, la voile d'artimon rend le bateau plus ardent que performant. Les bômes et voiles d'artimon compromettent le fonctionnement d'une girouette qui préfère un flux d'air ininterrompu, et l'empêchent de pivoter librement. C'est vrai qu'un mât d'artimon est l'endroit idéal pour installer une antenne et un radar et qu'un yacht à deux mâts est plus photogénique qu'un bateau à un mât ! Mais de là à dire que le jeu en vaut la chandelle...

Un gréement cotre offre probablement le meilleur rapport performance de pilotage/ convivialité. Il s'adapte à n'importe quel type de bateau et sa surface est répartie sur plusieurs voiles qui sont relativement petites et donc faciles à manipuler, même par un équipage réduit. Leurs deux mâts supplémentaires, l'étai arrière et l'étai de cotre, ont en outre pour avantage de réduire sérieusement le risque de démâtage, ce qui est finalement très rassurant quand on navigue dans des conditions extrêmes.

Échelles de bain, plates-formes et bossoirs

La présence d'une échelle de bain au centre du tableau n'est pas faite pour simplifier l'installation d'un régulateur d'allure. Or, lors de longs voyages, cette échelle s'avère moins importante qu'on ne le croit. L'idée selon laquelle une échelle de bain est indispensable pour récupérer un membre de l'équipage tombé à la mer est fausse. Quand la mer est houleuse et que le bateau tangue, l'arrière du bateau est un endroit particulièrement dangereux. Dans de telles conditions, la personne tombée à la mer doit être récupérée sur le côté du bateau à l'aide d'un MOB. Plutôt que disposer d'une échelle de bain, vous avez donc intérêt à prévoir de part et d'autre du bateau un coffret en plastique contenant une échelle déroulante, nettement plus fiable.

La combinaison idéale plate-forme + régulateur d'allure sur un Roberts 53.

Une plate-forme est une passerelle idéale pour monter à bord d'un dériveur lorsqu'on a jeté l'ancre. Sa hauteur idéale est de ± 50 cm / 20 in au-dessus de l'eau. Cette plate-forme, dont les bateaux français modernes sont souvent équipés d'office, n'a vraiment de raison d'être que lors de longs voyages. C'est vrai qu'à force de monter des provisions et jerricans de combustible par l'échelle de bain, plus d'un marin en arriverait à convoiter la plate-forme de son voisin. Cette plate-forme est également idéale pour prendre une douche après une baignade et ne pas emmener de sable à l'intérieur du bateau. Avec un peu de créativité et de jugeote, il y a moyen d'installer à la fois une plate-forme et un régulateur d'allure.

Des bossoirs sont parfaitement compatibles avec un Pacific Plus, comme en témoigne ce HR 41 à Papeete.

Ovni 43 de fabrication française, ancré à Las Palmas et prêt à entreprendre un long voyage.

Des bossoirs sont parfaitement compatibles avec une régulateur d'allure puisque, lors d'un long voyage, le canot pneumatique est la plupart du temps soit attaché sur le pont, soit replié et remisé. Lors d'une traversée océanique, il faudrait d'ailleurs être totalement irresponsable pour laisser ce canot accroché aux bossoirs et l'exposer ainsi aux intempéries. Quand le canot n'est pas accroché aux bossoirs, le régulateur d'allure a toute la place qu'il faut pour se mouvoir librement. Les régulateurs d'allure modernes ont l'avantage de pouvoir être enlevés en deux temps trois mouvements et par conséquent de permettre d'accrocher tout aussi rapidement le canot s'il le faut, et vice versa. Le safran pendulaire, qui est l'unique pièce du Pacific Plus susceptible d'entraver le canot, se démonte quant à lui très facilement puisqu'il n'est retenu que par un seul boulon. Le safran auxiliaire en revanche ne pose aucun problème de compatibilité.

En tenant compte des recommandations ci-dessus, il est donc parfaitement possible de combiner une plate-forme, des bossoirs, une échelle de bain excentrée et un régulateur d'allure et d'en profiter pleinement. Comme ils ont tous leur utilité, il serait regrettable de devoir s'en passer. Moyennant une petite découpe, le Pacific Plus peut même être partiellement intégré à la plate-forme qui aura notamment pour avantage de protéger le safran auxiliaire lors d'une marche arrière. Elle est même susceptible de protéger le bras de transmission du pendulum. Ce dernier est incliné de 10°, aussi bien quand il est orienté vers le bas que vers le haut. Cela signifie que si la plate-forme est prolongée vers l'arrière, elle protégera le safran pendulaire.

Il faut également tenir compte des différentes antennes. Un rail de montage avec bossoirs intégrés est une solution idéale (privilégiée entre autres par le chantier naval français Garcia) qui permet d'installer le GPS, l'Inmarsat, le radar, les antennes VHF, les panneaux solaires et l'éolienne à une hauteur d'environ 2m/6 ft au-dessus du pont, où ils ne gênent pas l'équipage. Cet emplacement est également synonyme de bonne réception et d'une transmission courte entre émetteurs et récepteurs. Et surtout, les antennes sensibles, comme les antennes GPS, y sont à l'abri des gens maladroits qui, lorsqu'elles sont installées sur le balcon arrière, les écrasent ou s'y raccrochent quand ils perdent l'équilibre.

Il y a toujours moyen de trouver une solution pratique et esthétique pour autant que tous les équipements dont ces appareils ont besoin aient été dûment prévus au stade de la conception. Tout ajout ou modification ultérieure (de bossoirs, d'un mât pour l'éolienne, etc.) se traduit par une augmentation de poids et ne peut que nuire à l'aspect esthétique de l'ensemble.

Montage d'un régulateur d'allure

Le montage d'un régulateur d'allure sur un bateau en bois, en aluminium ou en acier ne pose pas le moindre problème car il s'agit de trois matériaux robustes. Le tableau ne doit donc pas être nécessairement renforcé de l'intérieur et s'il est des navigateurs qui le font malgré tout, c'est principalement par acquis de conscience.

Un tableau en matériau composite est généralement privé de toute ossature et risque donc de devoir être renforcé. Tout dépend du type de bateau, ainsi que du poids et de la répartition de la charge du bâti support. Avant de monter un régulateur d'allure sur un bateau en GRP, il faut en tout cas renforcer le tableau en contreplaqué en posant à l'intérieur des plaques de renfort en bois ou matériau similaire au droit des points de fixation.

Attention : Toutes les traversées doivent être calfeutrées avec du silicone ou sikaflex. Ce produit ne peut cependant être appliqué qu'à l'extérieur, car si vous l'appliquez également à l'intérieur, vous ne verrez plus si le joint extérieur fuit et si l'eau s'infiltre dans le contreplaqué.

En présence de bateaux en acier ou aluminium, les boulons de fixation du bâti support doivent traverser la coque. L'autre solution, qui consiste à fixer les boulons dans des plaques de renfort soudées à l'extérieur du tableau, pare certes à tout risque d'infiltration d'eau, mais posera en revanche des problèmes de réparation en cas de collision. Si la coque est en acier, elle posera également des problèmes de corrosion. L'acier et l'aluminium sont assez robustes que pour pouvoir supporter un régulateur d'allure en l'absence de plaques de renfort.

Compatibilité de taille

Windpilot Pacific Light sur un
Crabber 24

À l'heure actuelle, la fiabilité d'un régulateur d'allure ne peut être garantie que sur des bateaux de max. 18 m/60 ft et de min. 5 m/18 ft. Les bateaux de plus de 18 m sont pilotés quasi exclusivement par des systèmes électroniques. Leur équipement lourd et la présence de générateurs auxiliaires justifient l'utilisation d'autopilotes super puissants.

Quant aux bateaux de moins de 5 m, ils ne sont pas faits pour supporter le poids d'un régulateur d'allure, dont le plus petit modèle pèse aux alentours de 20 kg/40 lb.

Fonction "homme à la mer"

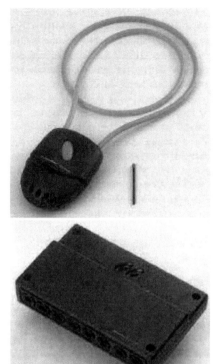

Les trois modules du système Emergency Guard.

En 1996, rien qu'en Angleterre, 50 pêcheurs se sont noyés suite à une chute en mer, ce qui représente une moyenne de 1 par semaine. Tout navigateur ou personne prenant la mer a cette hantise. Une hantise qui, hélas, risque de devenir réalité – une réalité qui parfois fait la une des journaux, comme lors du Vendée Globe de 1996, mais la plupart du temps passe totalement inaperçue du grand public (ce qui n'enlève rien à la douleur de la famille de la victime). Les anges gardiens qui tombent du ciel pour repêcher le malheureux sont rares.

Dans le monde entier, tout est mis en œuvre pour repérer les bateaux en détresse et sauver le plus rapidement possible les naufragés, avant qu'ils ne meurent de froid ou d'épuisement.

Il n'y a rien de plus terrifiant que de se retrouver seul en pleine mer et de voir son bateau peu à peu s'éloigner. L'industrie de la sécurité maritime internationale a pendant des années rivalisé de créativité pour développer un système capable de stopper un bateau doté d'un système de pilotage automatique.

Le système Emergency Guard pour autopilotes a fait sa première apparition en Allemagne en 1996. Chaque membre de l'équipage porte sur lui une petite unité de commande dotée d'un bouton-poussoir et d'un détecteur. Dès qu'on appuie sur ce bouton ou que le détecteur est immergé, l'unité de commande envoie un signal à l'autopilote lui disant d'orienter le bateau dans le lit du vent. Pour ce faire, l'autopilote est équipé d'un clinomètre qui veille à ce que le bateau lui obéisse. Dans cette position le foc reçoit le vent à contre et dès que le clinomètre enregistre le moindre gîte de l'autre côté, l'autopilote fait tourner le gouvernail dans l'autre sens, immobilisant le bateau. Dans la pratique, cela signifie que le bateau s'oriente dans le lit du vent dans les 5 secondes suivant le déclenchement du système et que le gouvernail pivote ramenant la vitesse du bateau à zéro dans les 30 secondes (ce temps peut varier fonction de la vitesse et du type de bateau).

Ce système peut également servir à :

1. couper le moteur ;
2. enclencher une alarme sonore ou activer la fonction MOB sur les instruments de navigation ;
3. activer un module de sauvetage automatique (bouée de sauvetage éjectable + corde) ;
4. activer un émetteur EPIRB.

Le système Emergency Guard comprend :
1. Une unité de commande conçue pour être portée autour du cou et dont le cordon sert à la fois d'antenne. Son signal codé empêche toute activation accidentelle du système par une autre commande et a une portée d'environ 600 m.
2. Un récepteur-émetteur qui reçoit le signal et le transmet, et qui peut être activé à la fois manuellement ou par un signal.
3. Un détecteur, monté sous le pont, qui contrôle les manœuvres. Comme le clinomètre est extrêmement sensible, il faut veiller lors de l'installation à ce que le détecteur soit parfaitement à l'horizontale.

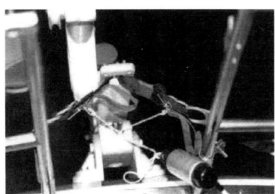

Relais de l'Emergency Guard sur un
Windpilot Pacific

Le système est également compatible avec des multicoques, puisque le clinomètre est suffisamment sensible que pour détecter le gîte relativement faible résultant de la pression du vent et que pour stopper l'avancement du bateau. Les voiles à bômes autovireuses doivent être attachées pour permettre au foc de se mettre à contre.

Dans sa nouvelle version, développée en collaboration avec Windpilot, l'Emergency Guard peut être utilisé avec un régulateur d'allure Pacific (système à safran pendulaire assisté). Le signal en provenance de la commande est transmis à un relais qui désaccouple le régulateur du safran principal, de façon à ce que le bateau s'oriente dans le lit du vent et s'immobilise.

En résumé

Chaque régulateur d'allure a des limites qui dépendent de son niveau de technicité. Sa longévité est tributaire d'un tas de facteurs comme la longueur du levier de puissance, le taux d'amortissement et les caractéristiques du bateau. Certains systèmes tiendront donc le coup plus longtemps que d'autres, mais ils sont tous voués à rendre l'âme tôt ou tard. Naviguer en ne modifiant pas la surface des voiles aidera à reculer cette échéance en réduisant l'ampleur des corrections de cap requises. Un système avec une puissance de pilotage et un amortissement adéquats et une bonne réserve de puissance donnera toujours de meilleurs résultats qu'un système qui demande à être ajusté manuellement à chaque changement de temps ou des conditions de la mer. La pression qui doit être exercée sur le gouvernail pour maintenir le bateau sur le bon cap est d'habitude relativement faible, mais tout navigateur sait aussi que par gros temps ou dans les alizés les choses peuvent changer d'un moment à l'autre.

Le régulateur d'allure idéal est assez sensible que pour piloter le bateau même par temps calme et assez puissant que pour résister aux assauts d'une mer houleuse. En l'absence de toute amplification ou en présence d'une faible amplification, les systèmes à safran auxiliaire s'essoufflent rapidement. Grâce à leurs énormes réserves de puissance, les systèmes à safran pendulaire assisté et double safran s'avèrent performants en toutes conditions. Si vous avez fait un mauvais choix, il ne vous restera qu'à barrer vous-même ou qu'à rentrer au port !

Du point de vue de l'équipage, le meilleur système est un système qui fonctionne en circuit fermé et ne demande pas à être réglé en permanence. Plus on a à intervenir manuellement, plus le risque d'erreurs (humaines ou mécaniques) est élevé. Pour bien faire, l'équipage devrait pouvoir se concentrer uniquement sur le réglage des voiles et le bateau, et s'en remettre au régulateur d'allure pour ce qui est du pilotage.

Grâce à son régulateur d'allure, le propriétaire de ce Judel Frolic allemand de 47 ft aura pleinement l'occasion de s'attacher au réglage des voiles.

⊕ 7 ⊕
Systèmes combinés

Autopilote + régulateur d'allure

Aujourd'hui, la plupart des bateaux sont équipés d'office d'un autopilote. Ces autopilotes sont une bonne solution pour qui prend le large pour un week-end ou les vacances. Mais plus le voyage que vous comptez faire est long, plus vous vous féliciterez d'avoir également un régulateur d'allure, surtout lorsque vous ne disposez pas d'un grand équipage et certainement lors de traversées océaniques où il s'avère être pratiquement indispensable. Autrement dit, dès que vous vous écartez des côtes, la solution idéale est d'avoir à bord à la fois un autopilote et un régulateur d'allure.

Pour conjuguer les avantages de ces deux systèmes, il existe une méthode ingénieuse qui, bien qu'ayant été à plusieurs reprises décrite en détail dans de nombreux magazines de navigation, n'a pas eu l'impact escompté. Un petit pilote automatique (type Autohelm 800) relié au contrepoids d'un safran pendulaire assisté est capable de fournir l'impulsion de guidage qui est en principe du ressort de la girouette. L'amplification et la transmission de la puissance de pilotage ont lieu comme d'habitude. L'autopilote peut dès lors guider le bateau au compas en consommant très peu d'énergie, puisque l'unique force qu'il doit fournir est celle qui est normalement fournie par la girouette (c.-à-d. la force destinée à la rotation du safran pendulaire). La puissance de pilotage de l'Autohelm 800 multipliée par la force d'amplification du safran pendulaire confère à ce système une puissance lui permettant de piloter sans le moindre problème un bateau de 25 tonnes. Ce système combiné s'avère particulièrement utile lorsque, lors de long voyages et par temps calme, le vent n'est pas assez fort que pour permettre à la girouette de générer un signal valable, mais que le bateau avance assez vite que pour actionner le safran pendulaire assisté.

La combinaison autopilote +

Combinaison Autohelm +

régulateur d'allure + télécommande est idéale pour des croisières avec un petit équipage.

Windpilot Pacific Plus sur un Nicholson 48.

Du point de vue pratique, la combinaison autopilote + régulateur d'allure permet de surmonter les constantes physiques entre input/output et consommation électrique/puissance de pilotage, tels que décrites au chapitre 3.

Un autopilote peut être accouplé, comme décrit précédemment, à n'importe quel régulateur d'allure ou presque.

Systèmes à safran auxiliaire :

L'autopilote est accouplé à la barre franche de secours, mais il n'y a pas d'effet d'amplification puisque dans ce cas de figure, la girouette, et donc l'autopilote, agit directement sur le safran auxiliaire. Cette solution n'est conseillée que dans la mesure où l'autopilote ne peut pas être accouplé à la barre franche du safran principal (p. ex. lorsqu'on pilote le bateau à l'aide de la barre à roue). Un autopilote accouplé à la barre franche de secours a tendance à vibrer lorsqu'on navigue au moteur car le safran auxiliaire est pris dans les remous provoqués par l'hélice.

Systèmes à safran pendulaire assisté :

Cette combinaison offre d'excellents résultats et est très simple à réaliser. L'autopilote est doté d'une goupille de fixation qui permet de le monter à n'importe quel endroit de la girouette ou du contrepoids. L'unique chose à laquelle il faut veiller, c'est que la course de la girouette ou du contrepoids soit supérieure à celle du vérin de l'autopilote (Autohelm, Navico : 25 cm/10 in). Si ce n'est pas le cas, la girouette risque en effet d'encourir des dégâts lorsque l'autopilote change brusquement l'angle du gouvernail.

Systèmes à double safran :

En présence d'un système à double safran, les avantages mécaniques d'un système combiné sont encore plus grands. Le gouvernail d'un bateau à double safran – qui est par définition un bateau assez grand – sert uniquement à ajuster le cap. La pression exercée sur ce gouvernail doit donc être moins grande et peut s'inscrire au profit d'une plus grande précision.

Un petit autopilote Autohelm 800 devrait en principe faire l'affaire. On constate cependant que de nombreux navigateurs lui préfèrent l'Autohelm 1000 ou le TP 100 de Navico qui ont pour attrait supplémentaire de pouvoir être commandés à distance.

L'expérience nous a appris que de nombreux navigateurs de haute mer – surtout néophytes – équipent au départ leur bateau uniquement d'un autopilote. Par mesure de sécurité, ils optent un système super puissant et robuste, mais ils ne tardent pas à s'en mordre les doigts. Il suffit parfois de quelques nuits blanches en pleine mer (de préférence pas trop loin d'un port bien équipé) pour regretter amèrement de ne pas avoir opté pour une solution plus confortable et silencieuse, tel un régulateur d'allure.

Nombreux sont les propriétaires de yachts qui finissent également par se rendre compte qu'investir dans un autopilote puissant est parfaitement inutile puisqu'il n'y a pas de meilleur skipper que le vent. Forts de cette science, ils préfèrent opter pour un régulateur d'allure doublé d'un petit autopilote susceptible de donner un coup de pouce les jours de calme plat. Ils sont ainsi prêts à parer à toute éventualité. Un système combiné consistant en un régulateur d'allure et un autopilote de cockpit revient souvent moins cher qu'un autopilote intégré, tout en étant indéniablement plus robuste.

Tableau de comparaison

Autopilotes vs régulateurs d'allure

Voici, en résumé, les pour et les contre de ces deux systèmes (cf. Windpilot).

Autopilote : Avantages

- ? Invisible
- ? Compact
- ? Facile à manipuler
- ? Peut être branché sur les instruments de navigation
- ? Prix raisonnable (par rapport à celui des pilotes de cockpit)
- ? Compatible avec une navigation motorisée
- ? Toujours prêt à l'emploi

Autopilote : Désavantages

- ? Cap au compas sous la voile n'est pas idéal
- ? Consomme de l'électricité
- ? Capteur de vent peu pratique (le capteur de vent dans le mât doit filtrer tous les mouvements pour pouvoir donner un signal valable)
- ? Faible réactivité
- ? Bruyant
- ? Moins fiable
- ? Durée de vie limitée
- ? Fonctionne moins bien à mesure que la houle augmente
- ? Plus de pression sur les roulements du safran principal à cause de l'absence d'amortissement des chocs (le skipper joue davantage en finesse)

Régulateur d'allure : Avantages

- ? Tient le cap par rapport au vent
- ? Ne consomme pas d'électricité
- ? Plus grande puissance lorsque le vent et la vitesse augmentent
- ? Bonne réactivité
- ? Silencieux
- ? Mécaniquement fiable
- ? De construction robuste
- ? Safran auxiliaire = gouvernail de fortune
- ? Durée de vie presque illimitée
- ? Moins de pression sur les roulements du safran pendulaire assisté car le système cède

Régulateur d'allure : Désavantages

- ? Incapable de fonctionner en l'absence de vent
- ? Possibilité d'erreur de la part de l'opérateur
- ? Certains systèmes gênent la manœuvrabilité (port)
- ? L'échelle de bain risque de devoir être déplacée (système à safran pendulaire assisté)
- ? Tout sauf invisible
- ? Parfois difficile à monter

Autopilote vs régulateur d'allure

Les différences :

	Autopilote	Régulateur d'allure	Système combiné
Bus de données	connexion possible	connexion impossible	connexion possible
Impulsion de guidage	compas	vent	compas/vent
Puissance de pilotage	constante	en augmentation progressive	les deux
Performance de pilotage	moins performant lorsque le vent augmente	plus performant lorsque le vent augmente	les deux
Fonctionnement	par intermittence (= moindre consommation d'énergie	en continu	les deux
Angle D'embardée	réglable manuellement	dépend du système	les deux
Facilité de manipulation	boutons-poussoirs	demande un réglage très précis	

Les limites des systèmes de pilotage automatique

Un système non automatique est capable de piloter un bateau dans n'importe quelles circonstances. Le registre de fonctionnement des divers systèmes que nous avons abordés est limité, mais peut être étendu grâce à un bon réglage et en arisant rapidement les voiles, autrement dit en réduisant le gîte et donc l'angle de la rotation que le gouvernail doit effectuer pour maintenir le cap. Ces mesures profitent généralement à la vitesse du bateau et à la précision de pilotage du système automatique.

Plus le vent est puissant et la mer houleuse, plus les régulateurs d'allure actuels s'avèrent performants.

Chaque système de pilotage automatique a son propre profil de performance et fournit, à conditions égales, toujours la même puissance de pilotage. Si différence il y a, celle-ci est donc due aux caractéristiques du bateau qu'il est appelé à piloter et surtout au réglage des voiles par l'équipage (qui, en présence d'un tel système, a amplement le temps et l'occasion d'y consacrer l'attention nécessaire).

L'importance du réglage des voiles

Un mauvais réglage des voiles a des effets néfastes sur n'importe quel système de pilotage automatique. Si les voiles sont mal réglées, l'autopilote devra exercer une pression accrue sur safran principal, intervenir beaucoup plus fréquemment pour maintenir le bateau sur le bon cap et consommera de ce fait beaucoup plus d'énergie. Ses réserves de puissance et de course s'amenuiseront et les embardées augmenteront jusqu'au moment où il perdra tout contrôle.

Des voiles mal réglées ont un effet similaire sur un régulateur d'allure dont les réserves de puissance s'épuiseront rapidement. Un bateau dont les voiles sont mal réglées est ardent et se comporte comme une voiture dont on a oublié de relâcher le frein à main.

La situation actuelle

Après vous avoir donné une idée de tout ce qui a été inventé jusqu'à ce jour, le moment est venu de vous donner un aperçu des produits que l'on trouve actuellement sur le marché et qui sont le fruit de 30 ans de recherches incessantes. À vous de faire le juste choix !

Autopilote

- ? autopilote de cockpit
- ? pilote intégré

Régulateur d'allure

- ? à safran auxiliaire
- ? à safran pendulaire assisté
- ? à double safran

Système combiné pilote de cockpit + régulateur d'allure

Un système de pilotage automatique doit être avant tout choisi en fonction des caractéristiques du bateau qu'il est appelé à piloter. Ces caractéristiques font l'objet d'une classification que voici :

Taille

- ? jusqu'à 9 m/30 ft
- ? jusqu'à 12 m/40 ft
- ? jusqu'à 18 m/60 ft
- ? plus de 18 m/60 ft

Design

- ? à quille longue
- ? à quille fine et aileron
- ? à quille profonde et gouvernail compensé
- ? à dérive centrale ou bouchain lesté
- ? ULDB
- ? multicoque

Vitesse potentielle

- ? bateau planant ou non planant

Système de pilotage

- ? barre franche
- ? barre à roue mécanique
- ? barre à roue hydraulique

Emplacement du cockpit

- ? à l'arrière du bateau
- ? au centre du bateau

Usage

- ? navigation de plaisance
- ? navigation côtière
- ? navigation hauturière
- ? navigation de compétititon

Ce Carena allemand de 40 ft est équipé d'un système de pilotage automatique permettant à ces vacanciers de profiter pleinement de leur séjour en mer.

Tendances

De nos jours, 80 à 90% des yachts de haute mer sont équipés d'un système de pilotage automatique. Raytheon, fabricant des modèles Autohelm, possède la plus grande part de ce marché mondial. Cette société, dont les travaux de recherche ont largement contribué aux progrès qui ont été faits dans le domaine des autopilotes pour yachts, est le leader incontesté du marché des pilotes de cockpit. Pour ce qui est des pilotes intégrés, elle se partage le secteur avec le constructeur norvégien Robertson, qui est spécialisé dans l'équipement de bateaux marchands et de grands yachts, et la société anglaise Brookes & Gatehouse.

Il y a 20 ans, les bateaux étaient tout au plus doté d'un autopilote à vérin. Aujourd'hui, nombre d'entre eux sont équipés de modules de navigation computérisés et montés en réseau. Cet exemple montre à quel point les choses ont changé à bord en l'espace de moins d'une génération. Mais il nous remet également en mémoire que la technologie, aussi avancée soit-elle, doit toujours se plier aux lois de la nature qui, comme de nombreux marins l'ont appris à leurs dépens, sont encore plus impitoyables en mer.

Dans le cas d'un autopilote, la moindre défaillance mécanique rime avec pilotage manuel : une perspective peu réjouissante quand on a des lieues de tout port. Il suffit de jeter un coup d'œil sur la liste des participants à l'ARC qui, chaque année, font réviser ou réparer leur autopilote avant le coup d'envoi de la course à Las Palmas, pour se rendre compte à quel point ces défaillances sont fréquentes. Les ingénieurs que les fabricants d'autopilotes envoient chaque année sur place dans ce but ne savent pas où donner de la tête. Nombreux sont les navigateurs qui emmènent un autopilote de réserve pour parer à toute éventualité.

Les progrès réalisés dans le domaine des régulateurs d'allure n'ont aucune commune mesure avec le développement fulgurant des autopilotes. La plupart des systèmes commercialisés à ce jour n'ont plus subi la moindre modification notoire depuis leur première apparition sur le marché. Une explication possible est que les petites entreprises qui les construisent n'ont pas les moyens d'investir dans de nouveaux projets, vu le coût prohibitif de la R & D de nos jours. À cette inertie s'ajoute le fait qu'elles répugnent à modifier un produit qui se vend bien. Et enfin, il est des constructeurs qui, plutôt que d'investir dans des innovations, préfèrent s'inspirer des produits de ceux qui sont à l'avant-garde du marché... et se plaignent dès lors que les temps sont durs. C'est vrai que le client n'est pas dupe !

Si nombre de navigateurs continuent de croire que rien ne vaut le système Aries à safran pendulaire assisté, c'est probablement parce qu'ils ne sont pas au courant des autres systèmes en vente sur le marché et qu'ils ne sont par conséquent pas en mesure de comparer. Même si de nos jours, tous les grands constructeurs de systèmes à safran pendulaire assisté à engrenage conique utilisent les mêmes rapports de transmission cinétique, leurs produits sont très différents en termes de concept, de méthode de fabrication et de design.

L'essor rapide des autopilotes électriques n'a pas été sans inquiéter certains constructeurs de régulateurs d'allure mécaniques et ce, même si de nombreux navigateurs ont appris à leurs dépens que la publicité selon laquelle un autopilote puissant consomme moins d'1 ampère, est mensongère. Les controverses, parfois violentes, quant aux avantages et désavantages des deux systèmes ont battu leur plein pendant des années. Aujourd'hui, les navigateurs y voient nettement plus clair et sont parfaitement conscients de l'importance d'un bon système de pilotage automatique pour de longs voyages.

La définition d'un bon régulateur d'allure n'est plus du tout la même qu'il y a 25 ans. Hier, le fait qu'un système soit capable de maintenir plus au moins le cap requis était considéré comme un succès. Le fait qu'il soit lourd, peu élégant et convivial et qu'il demande beaucoup d'entretien n'était pas perçu comme un handicap. Aujourd'hui, les constructeurs de régulateurs d'allure se livrent une dure concurrence sur un marché où le client est parfaitement capable de faire une distinction entre les différents produits et la simplicité de l'autopilote (qui ne demande qu'une simple pression sur un bouton !) l'emporte sur toute autre considération.

Une constatation intéressante qui mérite d'être mentionnée à ce stade est que la plupart des gens qui envisagent d'acheter ou achètent un régulateur d'allure ont déjà un autopilote. Une fois installée, la girouette assume cependant jusqu'à 80% du travail et une fois que les voiles sont hissées, l'autopilote n'intervient pratiquement plus. Cette information nous a été communiquée par Jimmy Cornell et est basée sur les debriefings dont nous avons déjà parlé. Les yachts participant à l'ARC sont de plus en plus équipés des deux systèmes, surtout depuis une dizaine d'années. Quant aux régulateurs d'allure, ils sont un instrument de navigation fiable, indispensable lors de longs voyages avec un équipage réduit.

Conseils pratiques

À la lumière des critères exposés dans le présent ouvrage, vous devriez être à même de choisir vous-même le régulateur d'allure et le pilote de cockpit qui répond le mieux à vos besoins. Si vous êtes à la recherche d'un pilote intégré en revanche, vous serez appelé à demander conseil à un expert, ne fût-ce que pour calculer la surface du safran, la pression ou la charge et déterminer en fonction de celles-ci le pilote qui vous convient. Chez la plupart des fabricants, ce service est compris dans le prix.

Ces dernières années, le marché des systèmes de pilotage automatiques a fait l'objet d'une sorte de sélection naturelle (cf. aperçu du marché, plus loin dans ce ouvrage). C'est vrai que de nos jours, peu d'entreprises sont en mesure d'éditer des brochures multilingues et de participer à tous les salons nautiques organisés aux quatre coins du monde. Autrement dit, de se profiler à l'échelle planétaire pour attirer l'attention et gagner la confiance de l'acheteur potentiel. Autohelm, B & G, Robertson, Hydrovane, Monitor et Windpilot sont les seules à être de toutes les manifestations européennes et à offrir un service à la fois rapide et hautement qualitatif. Elles sont aussi les seules dont les produits sont suffisamment réputés que pour garantir la poursuite des activités.

Le nombre d'entreprises qui ont dû fermer leurs portes au fil des ans montre à quel point le consommateur fait preuve de discernement en la matière. Il ne suffit pas d'offrir un bon produit. Dans un secteur d'activités aussi délicat que celui-ci, où l'honnêteté l'emporte sur les belles promesses avec lesquelles on n'est rien en pleine mer, il faut également prodiguer des conseils judicieux et offrir un service personnalisé. Les garanties écrites sont une bonne accroche publicitaire, mais que valent-elles si, en cas de pépin, le navigateur découvre soudain que pour en bénéficier, il doit d'abord prouver que le problème en question n'est pas dû à une négligence de sa part ou d'un membre de son équipage ? Ce qui compte dans un tel cas, c'est de pouvoir bénéficier d'une assistance rapide qui ne soit pas liée à un tas de corvées administratives et permette de poursuivre sa route ; un régulateur d'allure cassé ne peut pas suffire à gâcher un voyage. Le constructeur qui, pour épargner quelques sous, fait poiroter le client en lui demandant toute une série de documents, en fera tôt ou tard les frais, car la publicité de bouche à oreille est implacable. La satisfaction du client, qui est à la clé du succès de toute entreprise, est le fruit d'années de bons et loyaux services. Si ce service est présent, les systèmes se vendront d'eux-mêmes !

Départ de l'ARC à Las Palmas en1996

Il ne faut pas oublier qu'il suffit parfois d'un client mécontent, qui fait part de ses griefs à d'autres navigateurs, pour ternir un blason que même la plus prestigieuse publicité pleine page ne sera pas à en mesure de redorer. Pour assurer son avenir, le constructeur doit soigner ses clients et cultiver ses relations : la mer n'admet pas les mauvais conseils qui risquent d'avoir des conséquences désastreuses.

Fait étrange, mais avéré : les navigateurs n'ont pas les mêmes attentes en matière d'autopilotes qu'en matière de régulateurs d'allure. C'est comme s'ils utilisaient deux poids et deux mesures. Si leur autopilote présente une défaillance, ils s'en font plus ou moins une raison. De toute façon, il faut attendre que la garantie expire pour se rendre compte si les promesses du constructeur (quant aux modifications apportées au système, à sa meilleure qualité, sa robustesse accrue, etc.) tiennent. Pour ce qui est des régulateurs d'allure en revanche, ils ont tendance à placer la barre plus haut : d'aucuns s'attendent même à ce que leur système fasse un parcours sans faute. Que l'on trouve tellement peu de régulateurs d'allure de seconde main (hormis les petits régulateurs dont les propriétaires se défont au moment où ils achètent un plus grand bateau) semble en tout cas indiquer qu'ils donnent pleine satisfaction, même à long terme.

La plupart des constructeurs doivent leur succès à leur persévérance, présence régulière à des salons et leurs bonnes références. Dans le tableau ci-dessous, nous vous invitons à découvrir les régulateurs d'allure les plus populaires du moment à la lumière de ceux identifiés à bord des bateaux ayant participé à l'ARC de ces deux dernières années.

Régulateurs d'allure à bord des bateaux de l'ARC

Système	1994	1995
Aries	5	7

Atoms	-	2
Hydrovane	7	7
Monitor	5	5
Mustafa	1	-
Navik	1	2
Sailomat	-	3
Windpilot	13	18

L'auteur du présent ouvrage (à gauche) et Hans Bernwall de Monitor au London Boat Show (1996)

Distribution

Le système de distribution des autopilotes est totalement différent de celui des régulateurs d'allure. En raison de l'étendue du marché et des volumes de vente, la commercialisation des autopilotes est confiée à des réseaux de grande distribution au niveau desquels il n'y a pour ainsi aucun contact direct entre le constructeur et le client. Seuls les tout gros constructeurs ont les moyens de mettre en place un réseau international de points de service, ce qui bien entendu joue en leur faveur surtout pour les navigateurs au long cours. La plupart des constructeurs sont présents aux grands salons nautiques.

Les régulateurs d'allure font généralement l'objet d'une vente directe. Les contacts personnels entre le constructeur et le navigateur sont monnaie courante et souvent à l'origine de la confiance qui est la pierre angulaire de ce partenariat. À l'ère des Inmarsat, télécopieurs, courriels, UPS, messageries et courriers aériens, il n'est plus un endroit au monde avec lequel on ne puisse communiquer directement ou que l'on ne puisse approvisionner dans les plus brefs délais. Messieurs les constructeurs, vous voilà prévenus : si vos produits se font attendre sur le marché, vous n'aurez plus la moindre excuse.

Informations techniques

Spécifications techniques des pilotes de cockpit

	Autohelm							Navico	
	A H 800	ST 1000	ST 2000	ST 4000 T	ST 4000 TGP	ST 3000	ST 4000 W	TP 100	TP 300
Voltage	12 V	12 V	12 V	12 V	12 V	12 V	12 V	12 V	12 V
Consom. moyenne standby 25 %	0.06 A 0.5 A	0.06 A 0.5 A	0.06 A 0.5 A	0.06 A 0.7 A	0.06 A 0.7 A	0.06 A 0.7 A	0.06 A 0.75 A	0.06 A 0.5 A	0.06 A 0.5 A
Vitesse barre gouvernail (de butée à butée) Sans charge Charge 20 kg Charge 40 kg	6.7 sec 9.6 sec -	6.7 sec 9.6 sec -	4.1 sec - 6.4 sec	3.9 sec - 5.8 sec	4.3 sec - 5.5 sec	- - -	- - -	6.5 sec 9.0 sec	4.2 sec 6.0 sec
Poussée unité de commande	57 kg	57 kg	77 kg	84 kg	93 kg	-	-	65 kg	85 kg
Course vérin	25 cm	25 cm	25 cm	25 cm	25 cm	-	-	25 cm	25 cm
Vitesse barre à roue	-	-	-	-	-	3.3 tpm	5.5 tpm	-	-
Couple max. barre à roue	-	-	-	-	-	70 Nm	75 Nm	-	-
Nb. max de rotations	-	-	-	-	-	jusqu'à 3.5	jusqu'à 3.5	-	-
Télécommandable	-	+	+	+	+	+	+	+	+
Pour bateaux jusqu'à	2 t	2 t	3.5 t	5.5 t	9 t	5.5 t	6.5 t	2.8 t	5.5 t
Prix									

Les 12 types de régulateurs d'allure

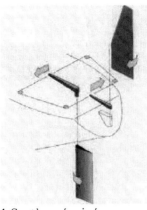

1 Système équipé
uniquement d'une girouette
verticale

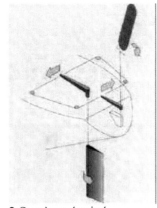

2 Système équipé
uniquement d'une girouette
horizontale

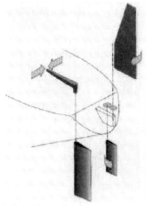

3 Système à girouette
verticale et safran auxiliaire

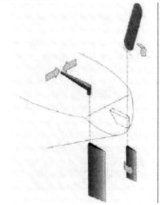

4 Système à girouette
horizontale et safran
auxiliaire

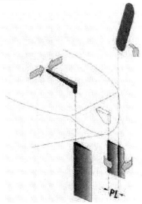

5 Système à girouette
   verticale et safran
   auxiliaire doublé d'un
   flettner

6 Système à girouette
   horizontale et safran
   auxiliaire doublé d'un
   flettner

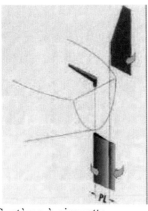

7 Système à girouette
verticale et safran principal
doublé d'un flettner

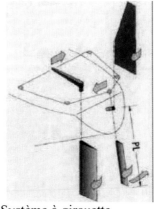

8 Système à girouette
horizontale et safran
principal doublé d'un
flettner

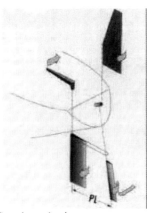

9 Système à girouette
verticale et safran
pendulaire assisté +
flettner

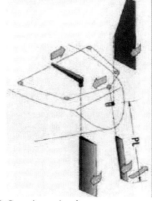

10 Système à girouette
verticale et safran
pendulaire assisté

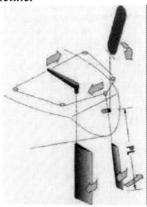

11 Système à girouette
horizontale et safran
pendulaire assisté

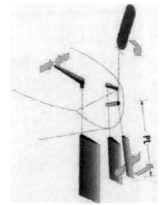

12 Système à girouette
horizontale et double safran

Tableau récapitulatif des 12 systèmes

No	Type	Marque	Pays d'origine	Type de girouette	Puissance assistée	Longueur bras de levier	Engrenage conique	Taille bateau	Toujours en production
1	girouette uniquement	Windpilot Nordsee	D	V	Non	0	non	< 6m/20ft	non
2	girouette uniquement	QME	GB	H	Non	0	non	< 7m/23ft	non
3	safran auxiliaire	Windpilot Atlantik 2/3/4	D	V	non	0	non	< 10m/33ft	non
		Windpilot Caribik 2/3/4	D	V	non	0	non	< 10m/33ft	non
4	safran auxiliaire	Hydrovane	GB	H	non	0	non	< 15m/49ft	oui
		Levanter	GB	H	non	0	non	< 12m/39ft	non
5	flettner/ safran auxiliaire	RVG	USA	V	Oui	< 25cm/10in	non	< 12m/39ft	non
6	flettner/ safran auxiliaire	Auto Helm	USA	H	oui	< 25cm/10in	non	< 12m/39ft	oui
		BWS Taurus	NL	H	oui	< 20cm/8in	non	< 15m/49ft	oui
		Mustafa	I	H	oui	< 20cm/8in	non	< 18m/60ft	oui
7	flettner/ safran principal	Hasler flettner	GB	V	oui	< 50cm/20in	non	< 12m/39ft	non
		Windpilot Pacific flettner	D	V	oui	< 50cm/20in	non	< 12m/39ft	non
8	flettner/ safran principal	Atlas	F	H	oui	< 50cm/20in	non	< 10m/33ft	non
		Auto-Steer	GB	H	oui	< 50cm/20in	non	< 12m/39ft	oui
		Viking Roer	S	H	oui	< 50cm/20in	non	< 12m/39ft	non
9	flettner/ safran pendulaire	Saye's Rig	USA	V	oui	< 100cm/39in	non	< 18m/60ft	oui
		Quartermaster	GB	V	oui	< 100cm/39in	non	< 10m/33ft	non
10	safran pendulaire assisté	Hasler	GB	V	oui	< 150cm/59in	non	< 12m/39ft	non
		Schwingpilot	D	V	oui	< 50cm/20in	non	< 12m/39ft	non
		Windpilot Pacific Mk I	D	V	oui	< 140cm/55in	oui	< 14m/46ft	non
11	safran pendulaire assisté	Aries Standard	GB	H	oui	< 190cm/75in	oui	< 18m/60ft	oui
		Aries Lift-Up	GB	H	oui	< 190cm/75in	oui	< 18m/60ft	non
		Aries	GB	H	oui	< 190cm/75in	oui	< 18m/60ft	non
		Circumnavigator	F	H	oui	< 140cm/55in	non	< 12m/39ft	non
		Atoms	F	H	oui	< 140cm/55in	non	< 12m/39ft	non
		Atlas	GB	H	oui	< 160cm/63in	oui	< 15m/49ft	oui
		Auto-Steer	E	H	oui	< 139cm/51in	non	< 12m/39ft	oui
		Bogassol	NL	H	oui	< 120-150cm/47-59in	non	< 12m/39ft	oui
		Bouvaan	Can	H	oui	< 120-150cm/47-59in	non	< 14m/46ft	oui
		Cap Horn	NZ	H	oui	< 130-170cm/51-67in	oui	< 18m/60ft	oui
		Fleming	USA	H	oui	< 130-170cm/51-67in	oui	< 18m/60ft	oui
		Monitor	F	H	oui	< 160cm/63in	non	< 10m/33ft	oui
		Navik	F	H	oui	< 140cm/55in	non	< 13m/43ft	non
		Super Navik	S	H	oui	< 170cm/67in	non	< 18m/60ft	oui
		Sailomat 601	NL	H	oui	< 140-210cm/55-83in	oui	< 13m/43ft	non
		Sirius	GB	H	oui	< 150cm/59in	oui	< 15m/49ft	oui
		Venttrakker	D	H	oui	< 170cm/67in	oui	< 09m/30ft	oui
		Windpilot Pacific Light	D	H	oui	< 140cm/55in	oui	< 18m/60ft	oui
		Windpilot Pacific				< 160-220cm/63-86in			
12	double safran	Stayer/Sailomat 3040	S	H	oui	< 130cm/51in	non	< 12m/39ft	non
		Windpilot Pacific Plus	D	H	oui	< 160-220cm/63-86in	oui	< 18m/60ft	oui

Définitions

Longueur bras de levier = PL (cf. illustrations) : donne une indication quant à la puissance de pilotage qu'un système est susceptible de développer. Plus ce levier est long, plus la puissance de pilotage sera grande et plus le système sera par conséquent performant.

Puissance assistée : cette puissance est générée par la force de l'eau déplacée par le bateau (la vitesse du bateau).

Taille du bateau (cf. spécifications constructeur) : taille maximale du bateau pour lequel le système est conçu. Sur un bateau de taille supérieure, le système ne fonctionnera pas de façon optimale (point 1).

Souvenez-vous : Quelle est l'utilité d'un système qui n'est capable de piloter le bateau que dans 60-70 % des cas et qui déclare forfait quand vous naviguez allures portantes, quelle que soit la force du vent ?

Amortissement des embardées par la girouette verticale : cet amortissement résulte d'une légère rotation de la girouette (angle max. = angle de déviation de cap).

Amortissement des embardées par la girouette horizontale : cet amortissement est assuré automatiquement par un engrenage conique 2:1 et empêche le bateau de survirer. Les systèmes dont l'amortissement n'est pas impeccable demanderont à être rectifiés manuellement et donneront donc beaucoup plus de fil à retordre à l'équipage.

Fiche technique des régulateurs d'allure retenus

	Principe de fonctionnement			Girouette		Matériau			Roulements	Amortissement des embardées	Poids installé (kg/lb)	Nb de boulons destinés à l'installation
	AR	SP	DR	Type	Angle réglable	Girouette	Système	Gouvernail				
Aries STD		+		H	oui	contreplaqué	AL	GRP	lisses	engrenage conique	35/77	8
Hydrovane	+			H	oui	AL/ Dacron®	AL	plastique moulé	à billes et lisses	démultiplicateur à 3 positions	environ 33/73	4-6
Monitor		+		H	non	contreplaqué	inox	inox	à billes et à aiguilles	engrenage conique	environ 28/42	16
Navik		+		H	non	thermoplastique	inox	GRP	lisses	-	19/42	8
Stayer/ Sailomat 3040			+	H	non	Mousse	AL	GRP/ AL	à aiguilles	bras incliné	35/77	8
Sailomat 601		+		H	non	contreplaqué	AL	AL	à aiguilles/ billes	bras incliné	24/53	4
Schwingpilot		+		V	-	GRP	AL	AL	lisses	girouette verticale	28/62	8
WP Atlantik	+			V	-	inox/ Dacron®	inox	GRP/ inox	lisses	girouette verticale	35/77	4
WP Pacific Light		+		H	oui	contreplaqué	AL	bois	lisses	engrenage conique	13/29	4
WP Pacific		+		H	oui	contreplaqué	AL	bois	lisses	engrenage conique	20/44	4
WP Pacific Plus			+	H	oui	contreplaqué	AL	bois/ GRP	lisses	engrenage conique	40/88	8

	Télécommande	Safran hors service	Comme gouvernail de fortune	Nb de boulons à démonter	Réglage adaptateur pour barre à roue	Nb. de versions disponibles	Pour bateaux jusqu'à
Aries STD	+	non redressable	non	8	roue dentée	1	18m/60ft
Hydrovane	Option	fixe ou amovible	oui	4	-	1	environ 50 ft
Monitor	+	pivote en arrière	non	4	goupille à ressort	1	18m/60ft
Navik	+	déconnectable et soulevable	non	4	-	1	environ 33ft
Stayer/ Sailomat 3040	+	s'abaisse à la verticale	oui	2	-	3	18m/60ft
Sailomat 601	+	redressable	non	1	tambour fixe	1	18m/60ft
Schwingpilot	+	s'abaisse à la verticale	non	4	-	1	environ 40ft
WP Atlantik	-	fixe	oui	2	-	3	10m/35ft
WP Pacific Light	-	redressable	non	1	infini	1	30ft
WP Pacific	+	redressable	non	1	Infini	1	60ft
WP Pacific Plus	+	redressable	oui	2	-	2	40ft 60ft

Abréviations
H = horizontale

V = verticale
AL = aluminium
AR = système à safran auxiliaire
SP = système à safran pendulaire assisté
DR = système à double safran
WP = Windpilot

Les constructeurs de A à Z

Les fabricants d'autopilotes

AUTOHELM

Fondée en 1974 par l'ingénieur britannique Derek Fawcett, la société Autohelm connaît dès le départ une énorme croissance qui lui vaut de devenir leader du marché. Une place qu'elle occupe toujours.

En 1984, elle lance son fameux clavier de commande à six touches (AUTO, +1/+10°, -1/-10° et STANDBY) qui n'a subi aucune modification depuis.

En 1990, Autohelm fusionne avec Raytheon Inc., une multinationale américaine qui emploie quelque 70.000 personnes et construit notamment des réfrigérateurs, des autopilotes et même des missiles. Peu après cette fusion, Autohelm développe son propre protocole de transmission de données. Les systèmes qui sont conçus pour être utilisés avec ce bus de données portent le label Sea Talk (ST). Tous les composants du système sont reliés entre eux par un simple câble, leur permettant d'échanger une foule d'informations (en provenance de l'anémomètre, du loch, GPS et poste central de navigation). Autohelm est toujours le numéro un dans ce domaine et tous ses systèmes, hormis le AH 800, sont ST compatibles et peuvent être montés en réseau avec d'autres modules. Les systèmes Autohelm sont fabriqués en Angleterre, où la société possède une unité de production qui occupe environ 300 personnes. La société possède 90 % des parts du marché des pilotes de cockpit et entre 50 et 60 % de celui des pilotes intégrés pour yachts de plus de 60 ft.

La gamme Autohelm comprend :
? 2 ordinateurs de bord (modèles 100 ou 300)
? 6 pilotes intégrés linéaires hydrauliques/mécaniques pour bateaux jusqu'à 43 t
? 5 pompes hydrauliques
? 2 pilotes intégrés à chaîne

Autohelm dispose d'un réseau de distribution international avec des points de service au quatre coins du monde.

BENMAR

Ce fabricant américain n'est que très faiblement représenté en Europe. Benmar est spécialisée dans la fabrication (aux États-Unis) d'autopilotes pour yachts à moteur de plus de 40 ft.

BROOKES & GATEHOUSE

La société anglaise Brookes and Gatehouse (B & G) a été fondée environ un an après l'avènement du transistor et de l'électronique. La société se taille rapidement une place au soleil grâce à ses Homer et Heron, deux instruments légendaires qui ont aujourd'hui leur place sur la plupart des grands yachts. Ses recherches incessantes en matière d'instruments de bord électroniques pour navigateurs judicieux lui valent de s'arracher une part considérable de ce marché. B & G se distingue à l'échelle internationale par une gamme complète d'instruments intégrés de plusieurs tailles et niveaux de performance. Ses pilotes Network Pilot, Hydra 2 et Hercules Pilot de B&G sont surtout destinés à des bateaux de grande taille.

La gamme B&G comprend :
a) B & G NETWORK
- ?   2 ordinateurs de bord (types 1 + 2)
- ?   3 pilotes intégrés linéaires hydrauliques pour bateaux jusqu'à ± 30 m
- ?   5 pompes hydrauliques pour bateaux jusqu'à ± 20 m

a) B & G HYDRA 2 et HERCULES
- ?   2 ordinateurs de bord (types 1 + 2)
- ?   3 pilotes intégrés linéaires hydrauliques
- ?   2 pompes hydrauliques
- ?   1 pilote intégré à chaîne

Les systèmes de B & G sont de toutes les grandes courses (Whitbread, Fastnet, Sydney-Hobart, America's Cup, Admiral's Cup) et ce, surtout en raison de ses excellents capteurs extérieurs et systèmes de traitement de données tactiles. Les bateaux qui participent à ses courses disposent d'un équipage au grand complet et sont donc rarement équipés d'autopilotes.

B & G dispose d'un réseau international de distributeurs et points de service.

NAVICO

Navico, qui est l'unique société à faire de la concurrence à Autohelm dans certaines régions du monde, est surtout réputée pour ses Tillerpilot 100 et 300 qu'elle a produits pendant des années. Aujourd'hui, elle vient de lancer sur le marché Oceanpilot, une gamme de pilotes intégrés qui n'ont rien à envier à leurs homologues. Navico propose également toute une gamme d'instruments intégrés.

La gamme Navico comprend :
a)   TILLERPILOT 100 et 300
b)   CORUS OCEANPILOT
- ?   1 ordinateur de bord
- ?   2 pilotes intégrés linéaires hydrauliques pour bateaux jusqu'à 22 ft
- ?   2 pompes hydrauliques

Navico a des filiales en France, en Grande-Bretagne et aux États-Unis.

CETREK

Ce constructeur anglais réputé, qui faisait partie des constructeurs d'autopilotes de la première heure, équipe également des navires commerciaux. Cetrek propose un bus de données, ainsi qu'une gamme complète de modules de navigation destinés aux plaisanciers.

NECO

Cette société anglaise était au départ spécialisée dans les instruments destinés à la navigation commerciale. Pendant quelques années, elle a également construit des autopilotes pour yachts – une production qu'elle a aujourd'hui abandonnée au profit de son activité de départ.

ROBERTSON

Robertson a été fondée en 1950. À ses débuts, la société fabrique des autopilotes pour bateaux de pêche ; un marché dont elle devient rapidement le numéro un. Le groupe norvégien Simrad Robertson AS est à ce jour le leader du marché de l'équipement et l'automatisation de navires commerciaux et offshore. Il propose toute une gamme de produits allant des systèmes de navigation et de pilotage complets pour supertankers à des sonars spéciaux pour bateaux de pêche commerciaux.

Plus tard, la société s'orientera également vers la navigation de plaisance : une évolution logique car quand on dispose de la technologie pour construire des systèmes de pilotage automatiques étudiés pour répondre aux très hautes exigences de la navigation commerciale, on peut la mettre à profit pour développer des systèmes analogues, de très haute qualité, pour la navigation de plaisance. C'est vrai que face à l'équipement high-tech des chalutiers de haute mer actuels, nos autopilotes électriques pour bateaux de plaisance font bien piètre figure. Le premier autopilote pour yachts de Robertson, le AP 20, fait son apparition en 1964 et est assemblé avec des pièces de récepteurs militaires cannibalisées. Ses autopilotes autodidactes, indispensables pour les bateaux commerciaux, n'ont pas tardé à dicter la norme.

Les autopilotes pour yachts actuels ont un niveau de performance qui nous émerveille, mais qui pour la navigation commerciale, où ils sont soumis en permanence à des contraintes d'un tout autre ordre, est largement insuffisant.

Les autopilotes Robertson se distinguent par leur grande robustesse et ont surtout leur place sur de grands bateaux. Avec eux, Robertson se taille la part du lion du marché mondial des pilotes pour yachts surdimentionnés et grands yachts à moteur.

La gamme Robertson comprend :
- ? 7 autopilotes électriques
- ? 5 pilotes intégrés linéaires hydrauliques
- ? 4 pompes hydrauliques
- ? 8 systèmes de pilotage hydrauliques

Pour la distribution de ses produits, la société dispose d'un réseau de filiales et de points de services répartis aux quatre coins du monde.

SEGATRON

Ce constructeur allemand est depuis désormais 28 ans spécialisé dans la production en petites séries de produits de très haute qualité. La société qui n'occupe que cinq personnes, construit chaque année un nombre restreint d'autopilotes high-tech largement convoités qui ont principalement leur place sur de très grands bateaux, y compris les yachts Jongert. Les systèmes Segatron sont bien entendu équipés d'une interface NMEA leur permettant d'être branchés sur le réseau informatique du bateau.

SILVA

Ce constructeur suédois vient de lancer récemment sur le marché un pilote intégré susceptible d'être monté en réseau, doublé de différentes options.

VDO

La société allemande VDO est une filiale du groupe Mannesman AG. Spécialisée au départ dans les instruments pour l'industrie automobile, VDO a également construit pendant quelques années des instruments de navigation, dont le système intégré LOGIC qui a fait son apparition en 1993.

La gamme LOGIC PILOT de VDO comprend :
- ? 1 ordinateur de bord

| ? | 3 pompes hydrauliques |
| ? | 1 pilote intégré linéaire hydraulique |

Les systèmes VDO sont distribués par une série de filiales en Allemagne, en Autriche et en Suisse.

VETUS

Vetus est un grand nom de l'industrie des sports nautiques. Pendant quelques années, ce constructeur allemand a commercialisé une vaste gamme d'autopilotes mécaniques et hydrauliques "made in England" sous la dénomination de Vetus Autopilot. Ces systèmes peuvent être également montés en réseau.

Les fabricants de régulateurs d'allure

ARIES (système de type 11)

Nick Franklin a lancé la production du système à safran pendulaire assisté Aries à Cowes, (île de Wight), en 1968. Ses premiers modèles étaient dotés d'engrenages coniques en bronze, qu'il n'a cependant pas tardé à remplacer par des engrenages en aluminium. Les derniers régulateurs d'allure Aries que Franklin a construits à la veille de la fermeture de son usine, fin des années quatre-vingt, étaient à peu de choses près identiques à ceux de la première heure. Les systèmes Aries se distinguent par leur système de réglage de cap qui consiste en une roue dentée réglable au pas de 6°. Les bruits courent que si cette pièce n'a jamais été modifiée, c'est parce que pour l'usiner, Franklin a eu besoin au départ d'une machine à fraiser tellement haute qu'il a dû surélever le toit de son atelier et que s'il avait apporté des modifications à cette pièce, tout ce travail aurait été pour rien. Le régulateur d'allure Aries a contribué au succès de nombreuses traversées légendaires et est pour les navigateurs un modèle de robustesse et d'indestructibilité – même si dans la pratique il n'était pas sans présenter certaines faiblesses flagrantes. Le bras reliant la girouette à l'engrenage conique étant surdimensionné, le système peinait par vents faibles. En plus, il n'était pas fait pour résister à de fortes charges puisque uniquement conçu pour transmettre la force de la girouette au safran pendulaire. Quant au réglage du cap au pas de 6°, il n'était souvent pas assez fin lorsqu'on naviguait au vent : 6 degrés peut faire la différence entre naviguer trop peu près et voiles à contre.

Le safran pendulaire du régulateur d'allure Aries Standard était difficile à accoupler et désaccoupler et demandait à être redressé prudemment puisqu'il n'était pas fait pour sortir de l'eau. Ces inconvénients, qui n'étaient pas propices à l'utilisation du système au quotidien sur de courtes distances, ont conduit plus tard au développement de l'Aries Lift-Up. Une fois le support de la girouette démonté, le corps de ce régulateur d'allure revu et modifié pouvait être libéré et redressé à l'horizontale et à la verticale. En dépit de cette amélioration indéniable, cette solution n'était toujours pas idéale puisque durant son redressement, le régulateur n'était plus sécurisé par son support ce qui, en mer, peut s'avérer dangereux.

Nick Franklin, inventeur du système   Aries Lift-Up
Aries à safran pendulaire assisté

Vers la moitié des années quatre-vingt, c'est au tour de l'Aries Circumnavigator de faire son apparition sur le marché. Ce nouveau régulateur d'allure, qui est en fait une variante améliorée de l'Aries Standard, est doté d'un meilleur support, d'un safran pendulaire amovible et d'un adaptateur pour barre à roue à fines roues dentées permettant un réglage plus précis.

En dépit de ces points faibles, le Aries système a été souvent plagié par des constructeurs heureux d'échapper ainsi aux essais qu'implique tout produit novateur et de profiter de l'excellente réputation de l'original.

Aries doit en grande partie son succès à la personnalité de Nick Franklin qui est un homme particulièrement sympathique et compétent et qui a toujours été un partenaire d'exception pour les navigateurs, toutes nationalités confondues. Si Franklin a un jour fermé les portes de son entreprise, c'est en raison de l'augmentation des coûts des matières premières et de la mauvaise conjoncture, mais aussi parce qu'il avait enfin construit son propre bateau et, qu'après vingt ans de stress et de travail acharné, il rêvait d'une vie moins agitée dans des eaux plus paisibles.

Si vous avez un système Aries et que vous avez besoin de pièces de rechange, vous pouvez désormais les obtenir soit directement en Angleterre, soit en vous adressant à Helen Franklin (la fille de Nick) ou au distributeur allemand de Windpilot.

L'Aries Standard a été récemment "ressuscité" par le constructeur danois, Peter Nordborg. Nordborg utilise des pièces en aluminium fabriquées en Angleterre qu'il usine et assemble. L'unique modèle disponible est conçu pour des bateaux jusqu'à 60 ft et peut être acheté directement chez son constructeur.

Aries Standard

ATLAS
Ce régulateur d'allure a été fabriqué pendant des années en France et existait en trois versions :
- ? à safran principal doublé d'un flettner (système de type 8)
- ? à safran auxiliaire doublé d'un flettner (système de type 6)
- ? à safran pendulaire assisté (système de type 11)

Ces systèmes n'étaient pas équipés d'un engrenage conique et demandaient par conséquent un réglage très précis du bateau pour éviter les embardées. Leur production a été suspendue à la fin des années quatre-vingt, lors du décès prématuré de leur constructeur.

ATOMS

Atoms

Le système à safran pendulaire assisté Atoms (système de type 11) a été fabriqué pendant des années à Nice (France) où il était très populaire à l'échelle régionale. Ce système se distinguait par sa girouette en aluminium et son quadrant circulaire qui reliait les drosses au safran pendulaire et garantissait une force de transmission uniforme. Il n'était pas équipé d'un engrenage conique. Sa production a été suspendue début des années quatre-vingt-dix.

AUTO-HELM

Régulateur d'allure Auto-Helm

Le régulateur d'allure Auto-Helm à safran auxiliaire doublé d'un flettner (système de type 6) est fabriqué en Californie. Ses allures rustiques doublées des inconvénients inhérents à ce système expliquent pourquoi ce régulateur n'a jamais vraiment décollé, si ce n'est qu'à l'échelle locale.

La transmission de l'impulsion de guidage en provenance de la girouette du système Auto-Helm vers le flettner est assurée par deux câbles blindés. Il n'y a pas d'engrenage conique.

Ce système, dont il n'existe qu'un seul modèle, est commercialisé par la société Scanmar Marine USA.

Auto-Steer

Cette société britannique produit deux systèmes (de types 8 et 11) dont un équipé d'un équipé d'un safran pendulaire assisté et l'autre d'un safran principal doublé d'un flettner. Leur girouettc est cependant identique. Ces deux systèmes peuvent être achetés directement chez le constructeur.

Bogasol

Le Bogasol – système à safran pendulaire assisté (type 11) de fabrication espagnole – a de nombreux points communs avec le système français Navik : la girouette agit sur un flettner monté sur le safran pendulaire, sans engrenage conique. Le pendulum peut être redressé latéralement.
Bogasol

BOUVAAN

Ce système rustique à safran pendulaire assisté en acier inoxydable (de type 11) de fabrication hollandaise est destiné aux navigateurs capables d'assembler un système en kit. En version préassemblée, il est tout aussi cher qu'un système professionnel visuellement plus attrayant.

Ce système, qui n'existe qu'en une seule version, est commercialisé par son fabricant.
Bouvaan

BWS TAURUS (système de type 6)

Steenkist, le concepteur de ce système, a récemment remis son atelier de production à Paul Visser. Ces régulateurs sont produits à la pièce. Le safran auxiliaire et le flettner ne peuvent être immobilisés à la verticale et risquent donc de gêner la navigation au moteur. Sur des bateaux dont le safran principal est monté fort en aval de la poupe, le safran auxiliaire doit être démonté sous peine de heurter le safran principal. Le rapport de transmission de force entre la girouette horizontale et le flettner doit être ajusté manuellement pour empêcher que la girouette ne survire.

Ce système réalisé sur mesure existe en trois tailles. La surface du safran auxiliaire du modèle le plus petit est de 0.15 m² et celle du modèle le plus grand de 0.23 m². Les systèmes BWS Taurus figurent parmi les régulateurs d'allure les plus chers du marché mondial et peuvent être achetés directement chez leur constructeur.

BWS Taurus

CAP HORN

Le régulateur d'allure à safran pendulaire assisté canadien Cape Horn (système de type 11) est un nouveau venu sur le marché. Ces systèmes en inox sont produits à la pièce, de façon artisanale. Leurs drosses reliées au safran principal traversent le tableau. Cela complique l'installation puisqu'il y a lieu de percer dans le tableau deux trous (dont un de 63 cm et l'autre de 89 mm) permettant de monter le bras de transmission du pendulum et les drosses dans le compartiment arrière du bateau et après de les jointoyer soigneusement pour empêcher les infiltrations d'eau. Sur certains bateaux, cette installation peut être à l'origine d'une perte de force de sustension et s'inscrire au détriment de l'espace de rangement à l'arrière du bateau. Le système n'a pas d'engrenage conique, mais est équipé d'une bielle à deux coudes de 90° qui permet de repositionner le safran pendulaire. Le bras de levier relativement court et les dimensions de la girouette et du bras donnent à penser que ces systèmes ne sont pas vraiment idéaux pour des bateaux de grande taille.

Le Cape Horn n'a pas d'adaptateur pour barre à roue. Les drosses sont enroulées autour d'un cylindre en matière synthétique monté sur les rayons de la barre à roue et doivent être allongées ou raccourcies pour ajuster le cap.

Les deux modèles (un pour des bateaux jusqu'à 40 ft et un autre pour des bateaux de plus de 40 ft) peuvent être obtenus directement chez le constructeur.

FLEMING

En 1974, l'Australien Kevin Fleming lance sur le marché un régulateur d'allure à safran pendulaire assisté (de type 11) qui porte son nom. Au-delà de son engrenage conique, ce système se distingue par ses composants en acier inoxydable et son pendulum dont le bras de transmission est équipé d'une rallonge qui arrive jusqu'à hauteur du pont et permet ainsi de prévoir quatre fois moins de poulies. Le système existe en trois tailles et est relativement onéreux. Après quelques années, la société ferme ses portes. Vers la moitié des années quatre-vingt, la production est reprise par New Zeeland Fasteners of Auckland, mais les ventes sont loin de répondre aux attentes. Aujourd'hui, le système Fleming est fabriqué en Californie et peut être obtenu directement chez le constructeur.

Fleming

HYDROVANE

Le système à safran auxiliaire (de type 4) Hydrovane est construit en Angleterre par Derek Daniels. Il existe en deux versions (modèle VXA 1 à commande manuelle ou VXA 2 à commande à distance) et n'a pas subi de modifications notoires depuis son lancement sur le marché en 1970.

Le système est équipé d'un démultiplicateur à trois positions qui permet à son utilisateur de modifier l'angle effectif du safran angle sans risque de survirement. Le safran principal et le safran auxiliaire ont la même taille.

Leur surface n'étant que de 0,24 m² (30 x 80 cm), le système Hydrovane n'est conçu que pour des bateaux ne dépassant pas une certaine longueur critique. Même si le constructeur spécifie que ce système convient même pour des bateaux de 50 ft /18 t, l'absence de servo-assistance donne à penser que des bateaux de cette taille sont trop grands que pour être pilotés convenablement par tous les temps. La pale du safran est en plastique moulé très robuste exempte de toute force de sustension intrinsèque. Pour l'enlever, il suffit de la déboîter du bras.

Hydrovane

Les systèmes Hydrovane sont aluminium. Ils sont produits en grandes séries selon un procédé industriel et réputés pour leur robustesse et fiabilité. Leur longueur hors tout et leur bâti support sont définis au cas par cas, en fonction des caractéristiques du bateau auquel ils sont destinés.

La gamme Hydrovane comprend :

     ?   le système VXA 1 à commande manuelle

     ?   le système VXA 2 à télécommande

La société Hydrovane approvisionne elle-même le marché mondial.

LEVANTER

Ce système anglais à safran auxiliaire (de types 4 et 10) qui avait de nombreux points communs avec le système Hydrovane, existait en trois tailles et était très onéreux. Sa production a été suspendue il y a quelques années. Levanter a lancé récemment le GS II, un système à safran pendulaire assisté de taille modeste pour bateaux jusqu'à 25 ft. Ce système peut être acheté directement chez le constructeur.

MONITOR

N'ayant plus envie d'affronter les frimas de leur pays natal au retour de leur tour du monde, les navigateurs suédois Carl Seipel et Hans Bernwall se fixent à Sausalito (Californie) et y fondent la société Scanmar Marine en 1978. Le Monitor (système de type 11) est un régulateur d'allure en acier inoxydable de fabrication artisanale qui est encore produit de nos jours. Il a de nombreux points communs avec le système Aries, dont un engrenage conique identique. Bien que très connue aux USA, la société ne partira qu'en 1988 à la conquête du marché international.

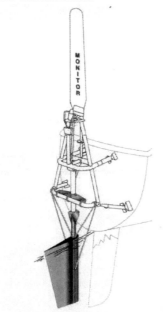

Kit de transformation en gouvernail de   Monitor
fortune Monitor (MRUD)

Le Monitor n'a que très peu changé depuis sa première apparition sur le marché. Hans Bernwall, qui est désormais seul à la tête de la société, se plaît à expliquer que son système est une version améliorée du régulateur d'allure Aries qui est à ses yeux un monument sacré. Le Monitor est un régulateur d'allure traditionnel qui, au niveau du montage sur le tableau, prend énormément de place et dont les drosses passent par 10 poulies. Son installation implique la pose de 16 boulons et une série de pièces de montage à réaliser sur mesure par le fabricant. L'inclinaison en avant et en arrière de la girouette n'est pas ajustable. L'adaptateur pour barre à roue est équipé d'un système de réglage à goupille.

En 1997, la société lance un kit de transformation en gouvernail de fortune (MRUD). Cette transformation consiste à remplacer la pale standard du safran par une pale plus grande (d'une surface de 0,27 m^2) et à stabiliser ensuite le bras de transmission du pendulum en le renforçant en 6 points.

Le Monitor n'existe qu'en une seule taille, conçue pour des bateaux jusqu'à environ 60 ft. Le système est de la plupart des salons nautiques européens et est distribué à la fois par son constructeur et divers partenaires commerciaux.

MUSTAFA

Le Mustafa, un système à safran auxiliaire doublé d'un flettner (de type 6), est fabriqué par le navigateur italien Franco Malingri. Rares sont à ce jour les bateaux équipés de ce régulateur d'allure monumental, dont la pale surdimensionnée du safran exerce une énorme contrainte sur le tableau du bateau. Le système est équipé d'un dispositif d'amortissement des embardées. Avec ses 60 kg, il est probablement le régulateur d'allure le plus lourd du marché.

Le Mustafa existe en deux versions :
? B, pour des bateaux jusqu'à 30 ft
? CE, pour des bateaux jusqu'à 60 ft

Ces systèmes sont commercialisés par leur fabricant.

Mustafa

NAVIK

Ce système à safran pendulaire assisté français (de type 11), qui pèse à peine 18.5 kg et est destiné à des bateaux de petite taille, est surtout populaire dans son pays d'origine. Ce système est relativement délicat, structurellement parlant, et est doté d'organes d'accouplement en plastique qui le rendent impropre à toute utilisation sur des bateaux de plus grande taille. À un certain moment, la société a lancé le Super Navik, un régulateur d'allure pour bateaux de grande taille, mais dont la production a été suspendue peu de temps après. Le safran pendulaire relevable du Navik n'est pas très convivial en cas d'utilisation au quotidien car le désassemblage du bras s'avère très compliqué. La girouette est accouplée au safran par un joint à rotules en plastique qui est relativement fragile. Le système n'existe qu'en une seule version.

La société Navik ne participe à aucun salon européen. Le système est commercialisé par le constructeur et une série de distributeurs.

Navik

Super Navik

RVG

Le RVG est un autre système américain à safran auxiliaire doublé d'un flettner (de type 5) qui, jusqu'en 1977, a été construit en Californie. Plus tard, le concept a été racheté par un ancien pilote de l'armée qui en a relancé la production artisanale, cette fois en Floride, sans y apporter cependant de grandes modifications. Ce système n'est pas équipé d'un engrenage conique.

Le RVG n'est plus fabriqué de nos jours.

SAILOMAT (systèmes de types 11 et 12)

À un certain moment, le nom de Sailomat a été utilisé par deux compagnies distinctes. Cela a bien entendu semé la confusion dans le milieu de la navigation et la longue bataille juridique qui s'en est suivie a fortement déstabilisé le marché.

Sailomat Sweden AB est fondée en 1976 par Boström, Zettergren et Knöös. Avec le soutien financier du gouvernement suédois, la société s'attelle au développement du système à double safran Sailomat 3040. Élégant et novateur, ce système est le premier à être équipé d'un safran pendulaire assisté doublé d'un safran auxiliaire. Vu son prix prohibitif, rares sont cependant les navigateurs qui peuvent se le permettre. La société n'a tarde pas à se retrouver dans les problèmes, vraisemblablement suite à une estimation non réaliste du potentiel du marché et à certaines dissensions au niveau directionnel. La production est suspendue en 1981 et la société dissoute peu après. H. Brinks/Netherlands, ex-représentant de la société en Europe et héritier des droits sur ce produit continue pendant des années à écouler les stocks existants. À la suite de la bataille juridique entre les précédents propriétaires, le système est vendu sous le nom de Stayer pour enfin disparaître complètement du marché dans les années quatre-vingt.

En 1984, Stellan Knöös s'installe en Californie et fonde Sailomat USA. Il y développe un système à safran pendulaire assisté (de type 11) dont la construction a lieu en Suède.

En 1985, il lance le Sailomat 500, un système hybride consistant en un régulateur d'allure doublé d'un autopilote. Quand le bateau navigue sous un angle de ± 60° par rapport au vent, c'est la girouette qui fournit l'impulsion de guidage. Quand ce n'est pas le cas, elle est relayée par l'autopilote. Aussi ingénieuse soit-elle, l'idée n'accroche pas et se solde par un échec partiel.

Le Sailomat 536 qui, hormis sa girouette pivotant sur 360°, présente de nombreuses similitudes avec le Sailomat 500, fait son apparition en 1987. Le bras de transmission du pendulum peut se soulever latéralement de 90° ce qui, dans la pratique, signifie que ce safran pendulaire doit être démonté lorsqu'il est hors d'usage car risquant de dépasser sur le côté du bateau. Le bâti support doit être réalisé sur mesure et le système n'a ni plaque de montage à géométrie variable ni télécommande.

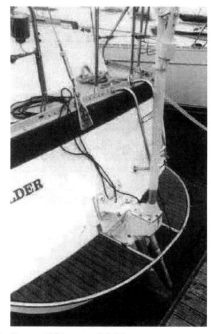

Sailomat/Stayer 3040

Sailomat 536

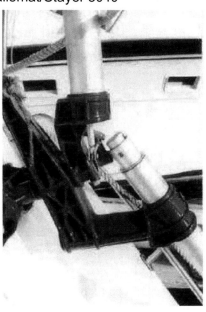

Sailomat 601

Le modèle suivant est le Sailomat 600 qui fait son apparition en 1993. Ce modèle présente certaines améliorations par rapport au Sailomat 536, en ce sens qu'il dispose d'une plaque de montage à géométrie variable et d'une télécommande et que son safran pendulaire se redresse sous un angle de 170°.

Le Sailomat 601, lancé en 1996, ressemble très fort à son frère aîné. L'unique chose qui a changé est l'angle du bras de transmission du pendulum.

Les systèmes Sailomat n'ont pas d'engrenage conique. L'amortissement est assuré par le bras du safran pendulaire qui, en étant incliné en arrière, freine l'eau. Cet angle a été plusieurs fois revu et modifié au fil des ans. La preuve :

Sailomat 3040	=	0	degrés
Sailomat 500	=	15	degrés
Sailomat 536	=	18	degrés
Sailomat 600	=	25	degrés
Sailomat 601	=	34	degrés

Le fabricant conseille de régler cet angle, p. ex. en inclinant le mât de l'aérien (dont l'angle par rapport à la mèche du safran pendulaire est fixe) pour ajuster l'amortissement en fonction des circonstances. Il est cependant clair que cette inclinaison aura un impact (favorable/défavorable) sur la performance de la girouette qui ne sera plus parfaitement centrée.

Le bras de transmission de la girouette doit être ajusté manuellement. Cette opération implique 18 réglages (6 au droit de la girouette en combinaison avec 3 au niveau de la tringlerie). La longueur de la bielle (qui est conçue comme une sorte de ridoir à vis) s'adapte automatiquement au réglage et à l'orientation de la girouette. L'opérateur doit donc s'y prendre prudemment pour ne pas risquer que la bielle se serre/desserre trop lors de changements de cap/vent fréquents. Le centrage de la girouette/safran pendulaire n'est jamais parfait. L'adaptateur pour barre à roue est équipé d'un tambour fixe. Pour le réglage fin du cap, il faut agir sur les drosses.

Le système peut être équipé de safrans à mèches de différentes longueurs pour des bateaux jusqu'à 60 ft. Sailomat participe à plusieurs salons aux États-Unis, mais est rarement de la partie en Europe. Son régulateur d'allure peut être obtenu directement chez le fabricant.

SAYE'S RIG

Ce système américain consiste en un safran pendulaire assisté/flettner hybride (de type 9). Le safran pendulaire est accouplé, sous le niveau de l'eau, au bord de fuite du safran principal par un long bras. Ce bras transmet les mouvements latéraux décrits par le safran pendulaire directement au safran principal. L'amortissement est assuré par l'aérien en forme de cale de la girouette verticale qui, grâce à sa configuration, s'avère très sensible et performant.

Les Saye's Rig sont produits en petites séries aux États-Unis. Il se pourrait qu'en raison de la position du safran principal, ce bras de transmission doive saillir fortement à l'arrière du bateau pour être accouplé au safran pendulaire. Comme les deux safrans sont solidaires, le réglage fin s'opère uniquement au niveau de la girouette. De cette façon, il est difficile de faire pivoter le gouvernail d'un système à barre à roue dans le mauvais sens. Lorsque le régulateur d'allure Saye's Rig est combiné avec un système de pilotage hydraulique, l'utilisation d'une soupape de dérivation est proscrite car l'huile doit continuer à circuler dans le cylindre principal. Cette soupape de dérivation s'opposerait en outre au pilotage manuel du bateau en cas d'urgence.

Le bateau ne peut être piloté manuellement que lorsque le bras de transmission du pendulum est désaccouplé ou démonté. Vu sa configuration inhabituelle, ce système n'est compatible qu'avec un nombre restreint de types de bateaux et de gouvernails.

Le système Saye's Rig n'existe qu'en une seule taille et est commercialisé par la société Scanmar International USA.

SCHWINGPILOT

Ce système à safran pendulaire assisté allemand (de type 10) en aluminium produit industriellement fait sa première apparition en 1974. Schwing, une société d'ingénierie spécialisée dans les pompes à béton, voulait à tout prix que son système puisse être installé sur le balcon arrière du bateau et a donc équipé donc le pendulum d'un bras de transmission horizontal plutôt que vertical, comme c'est traditionnellement le cas. Ce bras de transmission très long pouvait être aisément extrait de son support et donc enlevé lors de manœuvres. Ce système s'avérait performant dans la mesure où le balcon était stable. Le cap se réglait à l'aide d'une vis sans fin. La production de ce système a été suspendue récemment.

WINDPILOT

La société Windpilot a été fondée en 1968 par John Adam, à son retour d'une traversée mouvementée d'Angleterre à Cuba à bord de son Leisure 17. La nouvelle selon laquelle Adam, exténué par des jours de navigation en pleine tempête, avait échoué et avait été arrêté par la milice cubaine a fait la une de tous les journaux du monde de l'époque. Il a été détenu pendant des semaines et c'est durant cette captivité que lui est venue l'idée de fonder cette société.

Les systèmes énumérés ci-après sont en acier inoxydable et fabriqués de façon artisanale.

Système de type 3 : système à safran auxiliaire et girouette verticale ; modèles Atlantik II / III / IV pour bateaux jusqu'à 25 / 31 / 35 ft ; période de production : de 1968 à 1985.

Système de type 5 : système à girouette verticale et safran auxiliaire doublé d'un flettner ; période de production : de 1969 à 1971.

Système de type 10 : système à girouette verticale et safran pendulaire assisté ; modèle Pacific V ; période de production : de 1970 à 1975.

Système de type 11 : système à girouette horizontale et safran pendulaire assisté ; modèle Pacific H ; période de production : de 1973 à 1983.

Système de type 8 : système à girouette horizontale et safran principal doublé d'un flettner ; modèle Pacific Custom ; période de production : de 1971 à 1974.

Ces systèmes étaient tellement robustes que la plupart d'entre eux sont encore opérationnels après plus de 30 ans de bons et loyaux services.

En 1977, Peter C. Förthmann, l'auteur du présent ouvrage, et John Adam rachètent la société ... en échange d'un yawl !

En 1984, Windpilot arrête la production des systèmes en acier inoxydable. Il faut dire qu'à cette époque, la longueur moyenne des bateaux équipés d'un régulateur d'allure à girouette horizontale est désormais nettement supérieure à 35 pieds.

John Adam, fondateur de Windpilot, quittant Weymouth en 1986.

Système à safran auxiliaire Windpilot
Caribik 1988

Windpilot Pacific à girouette horizontale
en inox 1974

Les Pacific et Pacific Plus, systèmes jumelés à la pointe de la technologie en matière de régulateurs d'allure à safran pendulaire assisté et double safran, font leur première apparition sur le marché en 1985. Ces systèmes qui allient les avantages d'un système à safran auxiliaire et d'un système à safran pendulaire s'est avéré apporter une réponse pertinente aux problèmes que posent les bateaux de plus en plus grands et à cockpit central.

Les régulateurs d'allure Pacific et Pacific Plus ont subi un minimum de modifications au fil des ans. Ils sont néanmoins équipés de tout ce qu'un système à safran pendulaire moderne assisté peut rêver. Autrement dit, ils sont réglables en continu, faciles à démonter et équipés d'une girouette horizontale, d'une télécommande, d'un engrenage conique destiné à l'amortissement automatique des embardées, d'un safran pendulaire redressable, d'un bâti support à géométrie variable, d'une transmission courte, d'un adaptateur pour barre à roue réglable en continu avec plaque de montage universelle convenant à tous les types de barres à roue. Et enfin ils sont très compacts et légers puisque leurs composants modulaires sont réalisés dans un alliage d'aluminium AlMg 5. Ils sont d'abord moulés en sable et sous pression et ensuite usinés avec des machines CNC hyper modernes.

Ces deux systèmes ont remporté des prix pour leur design d'avant-garde et ont été exposés au prestigieux Museum für Kunst und Gewerbe (musée d'art et design) à Hambourg. Les équipements novateurs de ces systèmes sont brevetés en Allemagne (brevet P 36 14 514.9-22).

Windpilot Pacific Plus

Winpilot Pacific (1998)

En 1996, Jörg Peter Kusserow, Peter Christian Förthmann et leurs dessinateurs CAO ont conçu le Pacific Light. Ce régulateur d'allure, spécialement destiné aux bateaux de moins de 30 ft, est le système à safran pendulaire assisté le plus léger du monde. Il est équipé d'un d'engrenage conique et n'a, en dépit de son poids plume, rien à envier à ses grands frères.

Windpilot envisage d'élargir cette gamme en lançant en 1998 sur le marché le Pacific Super Plus, un système à double safran système capable d'être monté et démonté lorsqu'il en service et également destiné à des bateaux de plus de 60 ft.

Windpilot existe désormais depuis plus de 29 ans et est vraisemblablement le plus ancien producteur de régulateurs d'allure à avoir survécu. Il est en tout cas le seul à proposer actuellement une gamme aussi complète de systèmes modulaires pour n'importe quel type de bateau.

Winpilot Pacific Light (1996)

Windpilot Pacific (1985-1997)

La gamme Windpilot comprend :
- ?   le Pacific Light, un système de type 11 pour bateaux < 30 ft
- ?   le Pacific, un système de type 11 pour bateaux < 60 ft
- ?   le Pacific Plus I, un système de type 12 pour bateaux < 40 ft
- ?   le Pacific Plus II, un système de type 12 pour bateaux < 60 ft

On peut se procurer les systèmes Windpilot dans le monde entier en s'adressant directement au fabricant. La société participe à tous les grands salons nautiques européens et compte ouvrir, en janvier 1998, une filiale aux États-Unis.

Le système de montage multifonctionnel du Windpilot Pacific (modèle

1998)

WINDTRAKKER

Ce constructeur anglais a lancé récemment un système à safran pendulaire assisté (de type 11) qui ressemble comme deux gouttes d'eau au système Aries. Le temps nous apprendra si des copies comme celle-ci parviendront à se maintenir sur le marché alors qu'on peut acquérir l'original à meilleur prix.

Ce système peut être obtenu directement chez le constructeur.

Appendice :

Les pages d'or des constructeurs

Fabricants d'autopilotes

Alpha

Alpha Marine Systems
1235 Columbia Hill Road
Reno, NV 89506
USA
Tél. : ++1 800 257 4225

Autohelm

Raytheon Electronics
Anchorage Park
Portsmouth
Hants PO3 5TD
UK
Tél. : ++44 1705 69 36 11
Fax : ++ 44 170569 46 42

Raytheon Marine Company
46 River Road
Hudson NH 03051
USA

Factory Service Center
Raytheon Marine Company
1521 SO 92nd Place
Seattle WA 98108
USA
Tél. : ++ 1 206 763 7500

Benmar

Cetec Benmar
3320 W MacArthurr Blvd
Santa Ana CA 92704
USA
Tél. : ++ 1 714 540 5120
Fax : ++ 1 714 641 2614

Brookes & Gatehouse

Brookes & Gatehouse Ltd UK
Premier Way, Abbey Park
Romsey
Hants SO51 9 AQ
UK
Tél. : ++ 44 1794 51 84 48
Fax : ++ 44 1794 51 80 77
Site Web : www.bandg.co.uk

Brookes & Gatehouse USA
7855 126th Avenue North
Suite B
Largo FL 33773 USA
Tél. : ++44 1202 63 21 16
Fax : ++ 44 1202 63 19 80

Cetrek

Cetrek UK
1 Factory Road
Upton
Poole BH16 5SJ
UK
Tél. : ++44 1202 63 21 16
Tél. : ++44 1202 63 19 80

Cetrek USA
640 North Lewis Road
Limerick
PA 19468
USA
Tél. : ++1 610 495 0671
Tél. : ++1 610 495 0675

Site Web : www.cetrek.co.uk

Coursemaster

Coursemaster USA INC
232 Richardson
Greenpoint
NY 11222 USA
Tél. : ++1 718 383 4968
Fax : ++1 718 383 1864

Navico

Navico Ltd UK
Star Lane
Margate, Kent CT9 4 NP
UK
Tél. : ++44 1843 29 02 90
Fax : ++44 1843 29 04 71

Navico Inc USA
11701 Belcher Road Suite 128
Largo, FL 34643 USA
Tél. : ++1 813 524 1555
Fax : ++1 813 524 1355

Robertson

Simrad Robertson AS
PO Box 55
N 437 Egersund
Norway
Tél. : ++47 51 46 20 00
Fax : ++47 51 46 20 01
Site Web : www.simrad.com

Segatron

Gerhard Seegers
Bleichenstr 73
D-31515 Wunsdorf, Germany
Tél. : ++49 5022 1660
Fax : ++49 5022 2066

Silva

Silva Sweden AB
Kuskvägen 4
S 19162 Sollentuna
Sweden
Tél. : ++46 8 623 43 00
Fax : ++46 8 92 76 01
Site Web: www.silva.s

VDO

VDO Kienzle GmbH
Rüsselheimerstr 22
60326 Frankfurt, Germany
Tél. : ++49 69 75860
Fax : ++49 69 7586210

Vetus

Vetus Den Ouden Ltd
38 South Hants Ind Park
Totton, Southhampton SO40 3SA
UK
Tél. : ++44 1703 86 10 33
Fax : ++44 1703 66 31 42

Vetus Den Ouden USA Inc
PO Box 8712
Baltimore, Maryland 21240
USA
Tél. : ++1 410 712 0740

W – H

W – H Autopilots Inc
150 Madrone Lane North
Beinbridge Island, WA 98110-1863
USA
Tél. : ++1 206 780 2175
Fax : ++1 206 780 2186

Venthunter

Venthunter
82 Great Eastern Street
London EC2A 3JL
UK
Tél. : ++44 181 500 0180
Fax : ++44 181 500 5100

Fabricants de systèmes MOB
Emergency Guard

Jonathan GmbH
Usedomstr 14
22047 Hamburg, Germany
Tél. : ++49 40 66 97 67 40
Fax : ++49 40 66 97 67 49
Portable : ++45 405 81 953

Fabricants de régulateurs d'allure
Aries (pièces de rechange pour tous les modèles encore en circulation)

Aries Spares Helen Franklin
48 St Thomas Street
Penyren, Cornwall TR10 8JW
UK
Tél. : ++44 1326 377467
Fax : ++44 1326 378117
Aries Standard
Peter Matthiesen
Mollegade 54, Holm
DK 6430 Nordborg, Denmark
Tél. : ++45 74 45 0760
Fax : ++45 74 45 2960
Auto Helm
Scanmar International
432 South 1st Street
Richmond CA 94804-2107
USA
Tél. : ++1 510 2152010
Fax : ++1 510 2155005
E-mail : selfsteer@aol.com
Site Web : www.selfsteer.com
Auto-Steer
Clearway Design
3 Chough Close
Tregoniggie Ind Estate
Falmouth, Cornwall TR11 4SN
UK
Tél. : ++44 1326 376048
Fax : ++44 1326 376164

Bogasol
Egui Disney
Calle Provensa 157 bis
E 08036 Barcelona, Spain
Tél. : ++34 3 451 18 79

Bouvaan
Tjeerd Bouma
Brahmstraat 57
NL 6904 DB Zevenaar Nederland
Tél. : ++31 8360 25566

BWS
Taurus Scheeosbouw &
Uitrusting Nijverheidstraat 16
NL 1521 NG Wormeveer,
Nederland
Tél. : ++31 75 640 33 62
Fax : ++31 75 640 26 21

Cap Horn
Cap Horn
316 avenue Girouard
OKA JON 1EO, Canada
Tél. : ++1 614 4796314
Fax : ++1 514 479 1895 **Fleming**
Fleming Marine USA Inc
3724 Dalbergia Street
San Diego CA 92113
USA
Tél. : ++1 916 557 0488
Fax : ++1 619 557 0476

Levanter
Levanter Marine Equipment
Gandish Road
East Bergholt, Colchester CO7 6UR
UK
Tél. : ++44 1206 298242

Hydrovane
Hydrovane Yacht Equipment
Ltd
117 Bramcote Lane
Chilwell, Nottingham NG9
4EU
UK
Tél. : ++44 115 925 6181
Fax : ++44 115 943 1408

Monitor
Scanmar International
432 South 1st Street
Richmond CA 94804-2107
USA
Tél. : ++1 510 2152010
Fax : ++1 510 2155005
E-mail : selfsteer@aol.com
Site Web : www.selfsteer.com

Mustafa
EMI SRI
Via Lanfranchi 12
I 25036 Palazzolo
Italia
Tél./Fax : ++39 30 7301438

Navik
Plastimo France
15 rue Ingénieur Verrière
F 56325 Lorient
France
Tél. : ++33 2 79 87 36 36
Fax : ++33 2 97 87 36 49

RVG
International Marine
Manufacturing Co
8895 SW 129 Street
Miami FL 33176
USA
Tél./Fax : ++1 305 255 3939

Sailomat
PO Jolla Californien CA 92038
USA
Tél. : ++1 619 454 6191
Fax : ++1 619 454 3512

Saye's Rig
Scanmar International
432 South 1st Street
Richmond CA 94804-2107
USA
Tél. : ++1 510 2152010
Fax : ++1 510 2155005
E-mail : selfsteer@aol.com

Windpilot
Windpilot
Bandwirkerstrasse 39-41
D-22041 Hamburg, Germany
Tél. : ++49 40 652 52 44
Fax : ++49 40 68 65 15
Portable : ++172 401 33 80
E-mail : Windpilot@t-online.de
Site Web : www.windpilot.com
Windpilot USA
PO Box 8565
Madeira Beach, Fl 33738
USA
Tél. : ++1 813 319 8017
Fax : ++1 813 398 6288
Toll free : ++1 888 Windpilot
E-mail :
windpilot@compuserve.com